Laura Ca
Dominique Chauvois
Christophe Gouesmel

130 RECETTES ANTI-CHOLESTÉROL

Préface du Professeur Gérard Turpin

•MARABOUT•

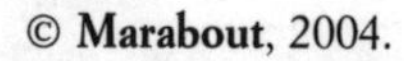

Sommaire

Préface 5

Cholestérol et maladies cardio-vasculaires 7

Bon et mauvais cholestérol 8

Savoir choisir les matières grasses 9

Les graisses saturées 10
Beurre et crème fraîche 10
Les produits laitiers 11
Les viandes : bien choisir ses morceaux 13
Les charcuteries 15
Les margarines dures 15

Les matières grasses insaturées 16
Les huiles : associez-les pour une meilleure protection des artères 16
Les margarines 17
Les poissons, ces bonnes graisses animales ! 18
Les fruits oléagineux 18

Le cholestérol des aliments 19

Du bilan sanguin à l'assiette 20

Vous vous posez des questions sur... 23
Le régime méditerranéen ou crétois 23
Les fibres alimentaires 24
Les antioxydants 24

Les pommes 24
L'alcool 25
Les aromates, les herbes et les épices 25
L'huile de paraffine 25
Le sucre et les produits sucrés 25
Les céréales pour petits déjeuners 26
Le chocolat 26

En résumé 27

Les points importants... 28

Recettes 29
Entrées 29
Viandes 61
Poissons 83
Plats complets 108
Desserts 130

Table des recettes 157

Préface

Toutes les études épidémiologiques, c'est-à-dire les études effectuées sur un échantillon représentatif de la population générale, ont bien démontré que les complications liées à l'athérosclérose représentent la cause principale de décès dans les pays industrialisés.

L'athérosclérose, que l'on peut très schématiquement assimiler à un dépôt de cholestérol au niveau de la paroi des artères (artères coronaires pour le cœur, artères carotides pour le cerveau, artères des membres inférieurs), représente en effet le fléau social numéro 1. Ses complications sont bien connues : angine de poitrine et infarctus du myocarde, accident vasculaire cérébral, artérite des membres inférieurs. En France, la grande étude épidémiologique (Étude prospective parisienne) retrouve les mêmes causes de mortalité et à peu près les mêmes pourcentages que dans les autres pays industrialisés :

— 36,4 % de tous les décès sont le fait des maladies cardio-vasculaires (dont 20 % pour la pathologie cardiaque et 12 % pour les accidents vasculaires cérébraux) ;

— 24,2 % sont le fait des cancers en général ;

— 9,4 % sont le fait de morts violentes (accidentelles, volontaires...) ;

— 6,2 et 5,9 % sont respectivement le fait des pathologies digestives et respiratoires.

Toutes les études épidémiologiques ont enfin permis de dresser la liste des différents facteurs de risque cardio-vasculaire : obésité, sédentarité, tabagisme, hypertension artérielle, diabète sucré, anomalies des lipides sanguins (cholestérol et/ou triglycérides) pour ne citer que les principaux. Mais quatre facteurs fondamentaux émergent dans toutes les études : tabagisme, hypertension artérielle, diabète sucré et hypercholesté-

rolémie. Celle-ci peut être génétique (on parle alors d'hypercholestérolémie familiale) et/ou liée aux facteurs d'environnement (en particulier une diététique inadéquate).
À l'heure où les études de prévention cardio-vasculaire faites avec des hypolipémiants (médicaments destinés à abaisser le taux de cholestérol) fleurissent dans la littérature médicale, il ne faut pas oublier que des études comparables nombreuses ont été effectuées avec la seule diététique et ont démontré leur efficacité aussi bien en prévention primaire (études qui s'adressent à des sujets qui n'ont jamais fait de complication cardio-vasculaire) qu'en prévention secondaire (études qui s'adressent à des sujets ayant fait une ou plusieurs complications cardio-vasculaires).
En matière d'hypercholestérolémie, le régime alimentaire est important. Mais il faut le dédramatiser. Ce n'est pas du tout un régime draconien, mais plutôt une nouvelle orientation diététique. Il doit être normo-calorique, de l'ordre de 2 200 calories par jour (puisque les triglycérides sont par définition normaux dans ces hypercholestérolémies pures), mais avec une diminution des aliments riches en graisses saturées et en cholestérol, et un enrichissement en graisses mono et poly-insaturées.
Le régime alimentaire est surtout mal vécu par le patient et est ressenti comme très contraignant. C'est le mérite de Mme Dominique Chauvois et de M. Christophe Gouesmel, qui ont longtemps assuré les directives diététiques dans mon service hospitalier, de montrer que ce régime est très faisable en pratique quotidienne et de proposer de nombreuses recettes qui permettent de rompre la monotonie liée à un régime mal expliqué, donc mal compris. Mme Laura Cariel les a grandement aidés en leur faisant part de ses compétences culinaires.
Puisse ce livre très pratique répondre aux demandes des patients et les aider à avoir une alimentation raisonnable, l'hygiène de vie en général étant un des principaux facteurs de bonne prévention.

Professeur Gérard TURPIN
Chef du service Endocrinologie-Métabolisme
Groupe hospitalier Pitié-Salpêtrière

Cholestérol et maladies cardio-vasculaires

La prévention des maladies cardio-vasculaires passe nécessairement par l'alimentation. Depuis plus de 30 ans, les études se sont succédées et ont confirmé les bienfaits d'une alimentation adaptée. Les résultats, souvent spectaculaires, ont amené les experts de tous les pays à s'accorder sur des recommandations alimentaires claires et efficaces.
Les personnes qui présentent une hypercholestérolémie ont très souvent une augmentation du LDL-cholestérol (celui qui bouche les artères lorsqu'il est en excès). L'origine de celle-ci peut être familiale (génétique) et se transmettre de génération en génération. Il n'est pas rare en effet de retrouver une hypercholestérolémie chez des parents proches. L'alimentation n'est donc pas nécessairement la cause de l'excès de cholestérol sanguin.
Une diététique adaptée reste une part importante du traitement de l'hypercholestérolémie et évite souvent l'introduction d'un médicament, dont la prise sera le plus souvent à vie. Néanmoins, avec l'âge, il est fréquent qu'un médicament devienne utile pour renforcer l'efficacité de la diététique. Les deux se compléteront alors parfaitement. Au moins aura-t-on retardé la prise d'un comprimé pendant 5, 10, 15 ou même 20 ans !
Changer ses habitudes alimentaires nécessite du temps. Rien ne presse ! Il est essentiel de connaître quelques petites données concernant le taux de cholestérol pour mieux comprendre les recommandations nutritionnelles et les recettes de ce livre :

1. les variations du taux de cholestérol sont peu importantes d'un jour à l'autre. Ainsi, quoi que l'on mange,

jamais le cholestérol n'augmentera de façon spectaculaire, après un repas très riche en graisses ;
2. le *choix des matières grasses* influence le taux de cholestérol sanguin ;
3. ce sont les *aliments riches en matières grasses saturées* qui influencent le taux de mauvais cholestérol ;
4. un *excès ponctuel* d'un aliment riche en graisses saturées n'augmente pas le taux de cholestérol ;
5. ce sont les habitudes alimentaires de tous les jours qui influencent le taux de cholestérol.
En résumé, la prévention des maladies cardio-vasculaires implique un changement progressif de ses habitudes alimentaires, l'alimentation étant le principal traitement des hypercholestérolémies. D'autre part, il importe de savoir que les conseils alimentaires expliqués dans les pages suivantes doivent être appliqués *tout le long de la vie*. Les « relâchements » ponctuels sont possibles et n'augmenteront pas le taux de cholestérol, à condition qu'ils ne soient pas la porte ouverte à un « relâchement » global.

Bon et mauvais cholestérol

L'organisme a obligatoirement besoin de cholestérol pour fonctionner. Les aliments nous en apportent une partie, mais l'essentiel de notre cholestérol est fabriqué par le foie. Dans le corps, il est véhiculé par 2 types de transporteurs : l'un est nommé LDL-cholestérol, l'autre HDL-cholestérol.

Lorsque le cholestérol transporté par les LDL est en excès, il ne peut être stocké par l'organisme et finit par se déposer dans les artères. C'est pour cette raison que le LDL-cholestérol est qualifié de « mauvais cholestérol ». Si une artère du cœur est obstruée, c'est l'infarctus. S'il s'agit d'une artère du cou, c'est l'accident vasculaire cérébral. Une artère des jambes bouchée entraîne l'artérite. À l'inverse, le HDL est qualifié de « bon » cholestérol. Son rôle est de transporter l'excès de cholestérol vers le foie qui se chargera de l'éliminer.

Savoir choisir les matières grasses

Au fil des jours, l'absorption répétée de certains aliments riches en matières grasses favorise l'augmentation du cholestérol. La question est de savoir comment choisir les matières grasses permettant de préparer les repas tout en respectant les conseils nutritionnels.
Graisses animales ou végétales, saturées ou insaturées, visibles ou invisibles, indispensables ou déconseillées... Comment gérer toutes ces informations au quotidien sans se tromper ?
Faut-il supprimer toutes les graisses ? Non, il ne faut pas toutes les supprimer mais contrôler la quantité pour éviter la prise de poids.
Le choix des matières grasses favorables au cholestérol est directement lié à la composition chimique des graisses (acides gras saturés ou insaturés) et non à leur origine (végétale ou animale).
Ainsi, les aliments constitués d'acides gras saturés consommés en excès chaque jour sont responsables de l'augmentation du mauvais cholestérol. À l'opposé, les aliments constitués d'acides gras insaturés favorisent la baisse du mauvais cholestérol et ralentissent l'obstruction des artères.

Les graisses saturées

Ces graisses sont essentiellement présentes dans différents aliments :

- ✓ Beurre, beurre allégé, crème fraîche et crème allégée,
- ✓ Fromages et produits laitiers,
- ✓ Viandes grasses et charcuteries,
- ✓ Margarines dures.

Les acides gras saturés consommés en excès au quotidien augmentent le mauvais cholestérol. Il ne s'agit pas de les supprimer totalement. Ces aliments ont des intérêts nutritionnels qu'il convient de connaître.

Beurre et crème fraîche

Beurre et crème fraîche sont des graisses rajoutées lors des préparations de certains plats. Dans certaines régions, le beurre est toujours présent sur la table, matin, midi et soir. Pour d'autres, le beurre est indispensable au petit déjeuner uniquement.

Que penser des allégés ? Le beurre et la crème fraîche allégés contiennent 2 à 3 fois moins de matières grasses, mais plus d'eau. Leur composition reste défavorable car ces produits allégés renferment principalement des matières grasses saturées.

D'un point de vue nutritionnel, le beurre et la crème fraîche sont riches en acides gras saturés. Il est donc souhaitable de limiter au maximum leur consommation. Ils *peuvent être remplacés par des margarines et les huiles*, riches en acides gras insaturés.

Les produits laitiers

Les produits laitiers sont indispensables à l'équilibre alimentaire car ils sont notre principale source de calcium. Il s'agit de bien savoir estimer la quantité de matières grasses qu'il existe réellement dans les portions consommées.
Quel lait choisir ? Lait écrémé, demi-écrémé ou entier ? Concrètement, il y a très peu de différences entre le lait demi-écrémé et écrémé. Faites selon votre goût.
Devant la variété de tous les produits laitiers, le consommateur a du mal à se décider. Le choix offert par les industriels est de plus en plus vaste. Yaourts fermentés, yaourts à base de crème, yaourts « suédois », yaourts à boire, mousses de fruits, yaourts aux céréales enrichis en fibres, fromages blancs sur lit de fruits, laitages à manger en en-cas, crèmes dessert, duo, 0 % sucrés, 0 % à l'aspartam... Qui n'est pas ébloui devant toutes ces couleurs, ces parfums alléchants, ces produits exotiques ? Aveuglés par cette farandole de produits laitiers, les consommateurs éprouvent la plus grande difficulté à choisir. Troublés par ces appellations multiples, la difficulté est de retrouver les produits contenant le moins de matières grasses saturées.

Pour les fromages, le problème est un peu plus complexe. Le pourcentage indiqué sur les emballages ne correspond pas au pourcentage réel de matières grasses du produit fini mais du produit déshydraté. Cette réglementation de l'étiquetage augmente encore plus les risques d'erreur. Constatez vous-même les différences entre ce qui est écrit sur les emballages et la quantité réelle de matières grasses dans le produit consommé :

	% de graisses affichées	% réel de matières grasses	1 portion de 30 g
Camembert	45	22	7 g
Comté	45	30	8 g
Emmental français	45	30	8 g
Roquefort	50	33	10 g
Crème de gruyère (Vache-qui-rit)	50	22	7 g

Tous les fromages peuvent être consommés, quel que soit le pourcentage de matières grasses indiqué sur l'emballage. Il importe de contrôler la portion qui, pour certains, peut se rapprocher du demi-camembert (1/2 camembert = 125 g). Autre piège : le plateau de fromages bien garni : forte est la tentation de tous les goûter ! Certains apprécient tant le fromage qu'ils en consomment en entrée (salade composée avec du fromage), en plat principal (gratin de légumes) et en fin de repas sans s'en rendre compte.

Le tableau suivant vous montre l'apport en matières grasses des principaux produits laitiers — en privilégiant les moins gras, vous limiterez l'apport en matières grasses saturées sans diminuer le calcium indispensable.

	LAITAGES	***TENEUR EN MATIÈRES GRASSES***
Du	Yaourt 0 % de MG ferme ou liquide Fromage blanc 0 % de MG nature ou aux fruits Mousse de fruits 0 % Fromage à 0 % de MG	*pas de MG*
moins	Yaourt nature ferme Yaourt aromatisé Yaourt à la pulpe de fruits	*Yaourt au lait 1/2* écrémé (moins de 2 g par pot)**
saturé **au**	Yaourt nature liquide : Velouté®, Bulgare®... Yaourt au lait entier : Bio®, B.A.®, La Laitière® Yaourt aux fruits	*Équivalent à du fromage blanc 20 %*
plus	Yaourt nordique Yaourt à la crème Fromage blanc à 40 % de MG	*Équivalent à du fromage blanc 40 %*
saturé	40 g de camembert à 45 % de MG 30 g d'emmental à 45 % de MG 30 g de roquefort à 45 % de MG	*10 g de lipides par portion aussi riches en lipides que les crèmes dessert améliorées*
	Crèmes dessert améliorées Yaourt à la grecque	*Laitages enrichis en crème fraîche (10 à 15 g de lipides par pot*)*

** 1 pot = 125g à 150 g — MG = matières grasses*

N.B. : *alléger les aliments en MG ne modifie pas la richesse en calcium.*

En pratique :

✓ *Au maximum 1 portion de fromage de 30 à 40 g par jour ou 1 produit laitier équivalent en matières grasses.*

✓ *Pour limiter l'apport en graisses saturées provenant des produits laitiers, il est préférable d'orienter ses choix vers les laitages à faible taux de lipides. Pour couvrir nos besoins en calcium, consommez-en 2 à 3 par jour.*

Les viandes : bien choisir ses morceaux

Les discours et les messages sur les viandes sont souvent exagérés :

« Un plat en sauce est toujours très gras », « Griller les viandes fait fondre les graisses », « Le porc est une viande grasse », « Les viandes blanches sont plus maigres que les viandes rouges »...

Le mode de cuisson des viandes peut modifier la quantité de matière grasses de la préparation. Un ragoût peut être préparé avec peu de graisses, contrairement à l'image traditionnelle d'un plat en sauce (crème fraîche, beurre). Griller une viande n'élimine pas les graisses (la viande perd uniquement de l'eau). L'entrecôte grillée au barbecue apporte une quantité de matières grasses non négligeable. En réalité, il ne faut pas considérer les différents animaux mais choisir les morceaux. D'une façon générale, le gras se voit. Il faut donc bien dégraisser tous les morceaux avant et/ou après cuisson. Pour les amateurs de viandes rouges, certains morceaux du bœuf sont très maigres. *Les matières grasses des viandes blanches sont plus insaturées que les viandes rouges*. C'est pour cette raison que les volailles sont systématiquement mises en avant dans la prévention des maladies cardiovasculaires. Les viandes apportent des protéines de bonne qualité et sont notre principale source de fer. Pour limiter la quantité de matières grasses saturées provenant des viandes, privilégiez les morceaux les moins gras. Le tableau suivant vous donne un aperçu des teneurs des différents morceaux en fonction de chaque animal :

Morceaux maigres des viandes	% de graisses	Morceaux gras des viandes	% de graisses
BŒUF			
Tendre de tranche (rosbif) Filet (dégraissé) Faux-filet (dégraissé) Tournedos Romsteack Bavette Jarret Macreuse Paleron Collier (dégraissé) Onglet (dégraissé) Steak haché 5 %	2,5 à 6 %	Entrecôte Flanchet Plat de côte Araignée Côte Langue Corned-beef Steak haché 10 et 15 %	12 à 35 %
CHEVAL			
Steak	3 %		
VEAU			
Escalope Jarret (osso buco) Bas de carré	2,5 à 7 %	Collier (blanquette) Côte, filet Épaule	13 %
PORC			
Filet Filet mignon	3 %	Échine	15 %
Côtelette dégraissée (dans le filet)	10 %	Travers de porc	25 %
DINDE			
Escalope Blanc de dinde Cuisse (sans la peau)	3 %	Morceaux avec la peau	10 %
POULET – PINTADE – CANARD			
Poulet sans la peau Pintade sans la peau Canard (magret, filet) *(sans la peau)*	5 à 8 %	Morceaux avec la peau	12 à 13 %
LAPIN – LIÈVRE – GIBIERS			
Tous les morceaux	3 à 5 %	Pas de morceaux gras	
AGNEAU – MOUTON			
10 à 30 % de matières grasses			

En pratique :

✓ ***Choisir les morceaux de viande les plus maigres, quel que soit l'animal.***

✓ ***Privilégier la consommation des poissons et des volailles.***

Les charcuteries

Pâtés, rillettes, saucissons, saucisses, saucisses apéritives contiennent 30 à 40 % de graisses essentiellement saturées. Une consommation régulière, même en petite quantité, peut augmenter le mauvais cholestérol (LDL-cholestérol). Leur consommation doit donc être occasionnelle.
Faciles à dégraisser, le jambon blanc, le bacon et les jambons crus peuvent être consommés sans hésitation.

Les margarines dures

Les margarines végétales dures se présentent dans des emballages en papier aluminium. Elles sont à éviter car elles sont riches en acides gras saturés. Ces margarines à base de palme et coprah sont très utilisées dans l'industrie agroalimentaire pour la préparation des pâtisseries et viennoiseries industrielles, des biscuits sucrés et salés, de certains plats tout prêts. Elles portent l'appellation de « graisses hydrogénées » sur l'emballage. Dans les restaurants, les cantines, les selfs, les fritures sont très fréquemment préparées avec ces corps gras particulièrement nuisibles à la santé.
Contrairement aux idées reçues, une matière grasse d'origine végétale peut contenir des acides gras saturés.

Petite astuce pour reconnaître à l'œil la présence d'acides gras saturés en grandes quantités : *plus un corps gras est saturé, plus il est solide à température ambiante. À l'inverse, plus il est insaturé, plus il est fluide à température ambiante.*

Les matières grasses insaturées

Ces matières grasses se trouvent principalement dans :

- ✓ les huiles
- ✓ les margarines molles
- ✓ les poissons
- ✓ les fruits oléagineux

La consommation d'acides gras insaturés favorise la baisse du mauvais cholestérol et ralentit l'obstruction des artères. Toutes ces matières grasses doivent être privilégiées du fait de leurs propriétés.

Les huiles : associez-les pour une meilleure protection des artères

Voici quelques exemples pratiques de bonnes associations : mélangez les huiles de tournesol, de pépin de raisin, d'arachide et d'olive à des huiles riches en oméga 3, comme l'huile de colza, de soja, de noix, de germe de blé et de noisette.
À l'exception des huiles de palme et de coprah (assez riches en acides gras saturés), toutes les huiles peuvent être consommées. De compositions très variables, elles sont notre principale source de matières grasses insaturées et de vitamine E. Il n'existe pas une huile parfaitement équilibrée en acides gras. Il est judicieux de savoir les associer pour optimiser les effets bénéfiques sur le taux de cholestérol et les artères. Il existe des huiles pour la cuisson et des huiles d'assaisonnement. Voici quelques exemples pratiques de bonnes associations : mélangez les huiles de tournesol, de pépin de raisin, d'arachide et d'olive à des huiles riches en oméga 3, comme l'huile de colza, de soja, de noix, de germe de blé et de noisette.

Attention ! N'oubliez pas que toutes les huiles sont grasses. Il n'existe pas d'huile légère. Toutes contiennent 100 % de matières grasses. Malgré leurs effets bénéfiques sur les artères, consommées en excès, les huiles peuvent provoquer une prise de poids.

En pratique :

✓ ***Consommer et varier les huiles. En consommer au moins 1 riche en oméga 3.***

Les margarines

Les margarines sont des mélanges de différentes huiles durcies par des procédés technologiques. De par leur texture, elles peuvent remplacer le beurre : le matin sur les tartines au petit déjeuner, en assaisonnement sur les légumes et les féculents. Elles peuvent également remplacer le beurre dans les pâtisseries, ainsi que dans les sauces (béchamel...). *Substituer le beurre et la crème fraîche aux margarines permet de remplacer les graisses saturées par les matières grasses insaturées.*

Margarines au tournesol, à l'huile d'olive, enrichies en vitamine E, allégées, aux oméga 3, aux stérols végétaux (composés naturels présents dans les huiles végétales, les margarines, les fruits et les légumes)... L'objectif permanent des industriels est de créer des produits de plus en plus efficaces (et alléchants). Les informations indiquées sur les emballages sont souvent nombreuses et scientifiques. Que choisir ?

Actuellement, les margarines enrichies en stérols végétaux et celles aux oméga 3 ont des propriétés supplémentaires par rapport aux autres. Les margarines aux stérols végétaux diminuent le LDL-cholestérol de façon plus importante. Les oméga 3 ont un effet favorable sur la fluidité du sang et diminuent le risque d'obstruction des artères. Ces produits sont efficaces s'ils sont consommés tous les jours et en complément des autres conseils alimentaires.

En pratique :

✓ ***Il est vivement conseillé de remplacer le beurre par ces margarines spécifiques.***

Les poissons, ces bonnes graisses animales !

Tous les poissons contiennent des graisses insaturées. La quantité peut être variable selon les poissons. Il est souhaitable d'en consommer plusieurs fois par semaine, en privilégiant les poissons gras. Les graisses des poissons, appelées oméga 3, ont un effet positif sur la fluidité du sang.
Les poissons gras sont :

✓ Le saumon et le saumon fumé,
✓ Le maquereau,
✓ Les sardines,
✓ Le hareng,
✓ Les anchois.

Les poissons panés du commerce sont déconseillés car ils sont souvent pré-frits dans des huiles saturées (coprah, palme). Les poissons d'élevage ont sensiblement la même composition en acides gras que les poissons de mer et de rivière.

Les fruits oléagineux

Noix de cajou, pistaches, cacahuètes, amandes, noix, noisettes, pignons, graines de sésame, olives vertes et noires, avocats, ont mauvaise réputation. À tort ! Ces aliments sont plutôt bénéfiques. Leurs matières grasses sont insaturées et ils sont une bonne source de vitamine E et de minéraux protecteurs.
Méfiance si vous faites attention à votre ligne. Les fruits oléagineux sont des aliments gras et leur apport calorique pas négligeable ! Une consommation trop importante peut entraîner une prise de poids.

Le cholestérol des aliments

Tous les aliments d'origine animale contiennent du cholestérol : le beurre, la crème fraîche, les viandes, les poissons, les fruits de mer (coquillages, crustacés), les abats et le jaune des œufs. Les végétaux n'en contiennent pas.

Le cholestérol alimentaire est une substance non énergétique (pas de calories). Un aliment riche en cholestérol n'est pas forcément riche en matières grasses (le jaune d'œuf et la plupart des abats sont riches en cholestérol et contiennent peu de graisses). L'influence du cholestérol alimentaire sur le cholestérol sanguin est variable selon les individus. Œufs et abats sont des concentrés de cholestérol alimentaire ; pris en quantités importantes et de façon répétée, ils peuvent augmenter le taux de cholestérol sanguin. Selon les régions ou les habitudes alimentaires, les œufs sont parfois consommés très régulièrement en entrée, en plat principal... Contrairement à une idée reçue, les œufs et les abats ne sont pas interdits, mais il convient de limiter leur consommation en raison de leur teneur élevée en cholestérol.

<u>En pratique</u> :

✓ Éviter la consommation répétée des aliments riches en cholestérol.

✓ Au maximum, 2 à 3 œufs par semaine et des abats 1 fois tous les 15 jours.

DU BILAN SANGUIN à L'ASSIETTE

Votre médecin vous conseille fortement de baisser votre LDL-cholestérol, de vous mettre au régime tout de suite et de faire du sport pour augmenter le HDL-cholestérol... Après tous ces discours théoriques, vous sortez de la consultation et votre première réaction est la nostalgie de la « bonne bouffe ». Votre pensée se résume à : « Il va falloir changer mon alimentation, me contenter tous les jours de cabillaud poché, de haricots verts vapeur, de yaourts maigres, de pommes... » Comment alors garder le moral ?

Il faut savoir que ce sont les erreurs de tous les jours qui augmentent le taux de cholestérol. Il ne s'agit pas de suivre un régime strict, mais de faire le bilan de ses propres habitudes alimentaires et de prendre quelques résolutions.

Ce changement d'alimentation doit être progressif et réalisable au quotidien. L'hypercholestérolémie n'est pas une maladie qui se guérit. En revanche, elle se soigne correctement si vous suivez les recommandations diététiques (et un éventuel traitement médicamenteux). Aussi, il est nécessaire de bien comprendre ces conseils nutritionnels, de les retenir et surtout de savoir les appliquer à long terme.

Comment composer des menus cohérents mais néanmoins appétissants et savoureux tout en sachant que l'objectif permanent est de faire baisser le taux de cholestérol sanguin (ou d'éviter qu'il augmente) ?

Connaître la composition des aliments est une bonne chose. Retenir des messages diététiques est essentiel. Comment faire vos achats et organiser vos repas tout en respectant les recommandations ? Il n'est pas question de calculer les acides gras saturés, mais d'avoir les bons réflexes.

Nous vous proposons une journée de menus composés de plats dont les recettes figurent dans ce livre. Nous avons choisi des menus qui respectent les recommandations connues de tous : pas de charcuteries, pas de fritures... Et pourtant ces menus peuvent contenir trop d'acides gras saturés :

Petit déjeuner	*Ce que vous pourriez faire...*
Café au lait	Lait 1/2 écrémé ou écrémé
Pain, beurre, confiture	Substituez le beurre à la margarine
Yaourt au lait entier à la vanille	Yaourt 0 % ou 1/2 écrémé

Déjeuner	*Ce que vous pourriez faire...*
Tomate, feta, basilic	Fromage = apport d'acides gras saturés
Veau aux olives	Diminuez les graisses saturées du veau en le dégraissant
Pommes de terre vapeur	Assaisonnez avec de la margarine ou ajoutez seulement un filet d'huile
St-nectaire	Le fromage est présent en entrée ; choisissez un laitage maigre
Salade aux trois pêches	Le sucre n'influence pas le taux de cholestérol

Dîner	*Ce que vous pourriez faire...*
Rillettes de saumon	Poisson gras + huile = matières grasses insaturées
Épaule d'agneau	Apport en acides gras saturés important
Navets	Assaisonnez avec un filet d'huile
Camembert	Remplacez par 1 laitage 0 ou 20 % de matières grasses
Fraises à la chantilly	Remplacez la chantilly par un coulis de fruits

Ce dîner est riche en graisses. Pour respecter l'équilibre alimentaire, il est nécessaire de diminuer la quantité de matières grasses.

Cet exemple montre l'importance de bien savoir associer les différents aliments. En « jonglant » avec les matières grasses visibles (beurre, crème fraîche, huiles, margarines...) et invisibles (fromages, charcuteries, fruits oléagineux...), vous pourrez plus facilement choisir vos menus au restaurant, gérer plus aisément les invitations et les repas pris sur le pouce.

Faire un écart ponctuellement n'augmente pas le taux de cholestérol mais ces erreurs ne doivent pas devenir ou redevenir petit à petit des mauvaises habitudes.

Quelles que soient les situations, les recommandations à suivre sont :

✓ ***Améliorer la qualité des matières grasses consommées dans votre alimentation.***

✓ ***Respecter l'équilibre alimentaire en contrôlant la quantité globale des graisses.***

Le maniement des aliments nécessite un minimum de connaissances sur leur composition. Cela permet de varier les menus et d'élargir le choix des aliments en allégeant les contraintes. Il faut savoir que :

10 g de beurre est équivalent à :
1 cuillère à soupe de crème fraîche
2 cuillères à soupe de crème fraîche allégée
1 petite tranche de rillettes (20 g)
5 fines rondelles de saucisson (30 g)
2/3 de chipolata
4 tranches de jambon blanc
30 g de camembert
30 g de gruyère
1 petit pot de 100 g de fromage blanc à 40 %
1 croissant au beurre
2 gros carrés de chocolat
3 petits carrés de chocolat
2 boules de glace
1 éclair au chocolat

Les équivalences permettent de diversifier au maximum les menus et de garder les petits plaisirs de la table. Par exemple, au déjeuner vous pouvez occasionnellement remplacer le fromage par un carré de chocolat dégusté avec le café.

VOUS VOUS POSEZ DES QUESTIONS SUR...

Le régime méditerranéen ou crétois

Alimentation typique de la Crête, île grecque où les centenaires sont les plus nombreux au monde et les maladies cardiovasculaires (infarctus, accident vasculaire cérébral...) peu fréquentes. Les Crétois consomment essentiellement des viandes blanches (volailles), beaucoup de poissons, des légumes secs, des légumes verts et des fruits à chaque repas. Sans oublier l'huile d'olive. Le beurre et la crème fraîche sont inexistants.
Autre particularité de cette alimentation : une salade, le pourpier, est consommée régulièrement. Le peu de matières grasses (les oméga 3) qu'elle contient est très bénéfique pour les artères. En France, les poissons gras, les amandes et les noix, les huiles de colza, de noix et de soja nous apportent les oméga 3.
Nous n'avons pas en France les mêmes habitudes alimentaires que les Crétois. Tout en gardant les grands principes de cette alimentation, c'est à chacun de modifier son comportement alimentaire selon ses goûts et ses habitudes alimentaires. Si vous n'aimez pas le goût de l'huile d'olive, orientez-vous vers d'autres huiles, en particulier le colza et la noix.

Les fibres alimentaires

Les fibres alimentaires améliorent le transit intestinal, protègent contre certaines maladies (cancer du côlon) et ont un effet protecteur vis-à-vis des artères. En grande quantité, elles peuvent favoriser la baisse du cholestérol.
Les fibres se trouvent dans les aliments d'origine végétale. On les trouve dans les fruits, les légumes, les légumes secs et les céréales complètes.

Les antioxydants

Antioxydants riment avec protection des artères. On en trouve dans les huiles et les fruits oléagineux — cacahuète, noix, amande, cajou... — les tanins du raisin, du vin et du thé vert (polyphénols), dans la tomate (anthocyanes et licopènes), dans les carottes ou le melon (caroténoïdes), dans les salades vertes (lutéines)... À ces substances s'ajoutent quelques vitamines : la vitamine C (citron, oranges, clémentines, kiwi, tous les fruits rouges), la vitamine B9 (abondante dans les végétaux à feuilles comme les épinards, toutes les salades, les choux...), la vitamine E (présente dans toutes les huiles et les oléagineux). La présence de ces antioxydants dans les végétaux renforce l'intérêt de tous ces aliments dans notre alimentation quotidienne.

***En pratique* :**
- ✓ ***2 à 3 fruits par jour,***
- ✓ ***Des légumes verts à volonté,***
- ✓ ***Penser aux légumes secs.***

Les pommes

La consommation de pommes peut parfois entraîner une diminution de cholestérol sanguin. Cet effet est dû à certaines fibres (pectines). Pour espérer obtenir ce résultat, il faudrait en consommer 1 kg et demi tous les jours, crues et avec la peau ! De plus, une telle consommation de pommes apporte une grande quantité de sucre et petit à petit, vous risquez de prendre du poids. Mangez des pommes pour votre plaisir et non pour votre cholestérol !

L'alcool

L'effet bénéfique de l'alcool sur les maladies cardiovasculaires fait couler beaucoup d'encre. *« 2 verres de vin rouge améliorent le cholestérol »* : ce message largement diffusé est susceptible d'augmenter la consommation de boissons alcoolisées déjà importante dans notre pays et de déculpabiliser ceux qui en consomment régulièrement. Aucune étude n'a démontré formellement l'effet protecteur de l'alcool. En revanche, l'alcool est très calorique et peut entraîner une prise de poids.

Les aromates, les herbes et les épices

Ils améliorent le goût des plats et peuvent être utilisés en grande quantité. Ils n'ont aucun impact sur le taux de cholestérol sanguin.

L'huile de paraffine

Cette huile synthétique ne présente aucun intérêt nutritionnel. Consommée régulièrement, elle peut entraîner des carences en vitamines.

Le sucre et les produits sucrés

La consommation de sucre n'influence pas le taux de cholestérol. Présent dans différentes préparations (pâtisseries, crèmes dessert, viennoiseries, chocolat...), il est souvent associé aux matières grasses. Le sucre et les produits sucrés consommés en excès peuvent entraîner une prise de poids. Pour conserver la saveur sucrée, vous pouvez le remplacer par l'aspartam qui n'apporte pas de calories.

Les céréales pour petits déjeuners

Méfiance ! Ces aliments présentés comme « *diététiques, complets, bons pour la santé...* » ont parfois des quantités de matières grasses très importantes. Selon les variétés, l'apport en sucre peut être très surprenant.

Astuce : choisissez des céréales sans graisses ajoutées (huiles) et évitez celles au chocolat.

Le chocolat

Le chocolat est un mélange de beurre de cacao, de sucre et, suivant le cas, de lait et d'aromates. Noir, blanc ou au lait, tous les chocolats contiennent 30 à 40 % de matières grasses, essentiellement des acides gras saturés. Le besoin de chocolat est en réalité une grosse envie appelée « gourmandise » ! Pour votre plus grand plaisir, consommez cet aliment en petite quantité.

En résumé

✓ Privilégier les graisses insaturées et diminuer les graisses saturées. Comment les repérer ?

ALIMENTS CONTENANT PRINCIPALEMENT DES MATIÈRES GRASSES SATURÉES	ALIMENTS RICHES EN MATIÈRES GRASSES INSATURÉES
Tendent à augmenter le LDL-cholestérol	*Favorisent la baisse du LDL-cholestérol*
Beurre Beurre allégé (25 à 40 % de MG) Crème fraîche et crème allégée	Margarines (sauf emballage papier) Margarines allégées (25 à 70 % de MG) Mayonnaise et mayonnaise allégée
Fromage Fromage frais Lait entier Produits laitiers gras et à base de crème : crèmes dessert, yaourts améliorés... Chips et assimilés Viennoiseries et pâtisseries industrielles et avec du beurre Chocolat : noir, au lait, blanc	Huiles : Olive – Tournesol – Arachide – Soja – Noix Pépin de raisin – Mélanges de plusieurs huiles Sésame – Noisette Fruits oléagineux : Avocat – Olives verte et noire – Pistache Cajou – Cacahuète – Noix – Noisette – Amande Soja et produits dérivés du soja : tofu, tonyu...
Morceaux gras des viandes Charcuteries – sauf jambon, bacon : Saucissons, pâtés, rillettes Saucisses de Strasbourg, de Toulouse, de Francfort, saucisses cocktail... Boudins noirs, blancs	Poissons (sauf panés) : *Poissons maigres (à chair blanche) :* Cabillaud – Raie – Colin – Rouget – Sole – Morue – Flétan – Carrelet – Thon... *Poissons gras :* Saumon et saumon fumé Sardines : au naturel et à l'huile Maquereaux : au naturel et à l'huile Hareng Anchois

MG = matières grasses.

Les points importants...

✓ Aucun aliment n'est interdit.

✓ Remplacez le beurre par des margarines enrichies en stérols végétaux et/ou aux oméga 3.

✓ Limitez la quantité de fromage : au maximum, 1 portion de 30 à 40 g par jour. Pour les autres laitages, privilégier ceux à faible taux de matières grasses.

✓ Privilégiez les volailles et les poissons ; choisissez les morceaux maigres des viandes. Une astuce pour consommer davantage de poisson : en entrée, penser aux sardines et aux maquereaux en conserve.

✓ Consommez et variez les huiles, dont au moins 1 riche en oméga 3.

✓ Pour les vitamines, les antioxydants, les fibres alimentaires : mangez 2 à 3 fruits par jour et des légumes verts à volonté.

✓ Évitez la consommation répétée des aliments riches en cholestérol. Au maximum, 2 à 3 œufs par semaine et des abats 1 fois tous les 15 jours.

Recettes

Entrées

Salade de la mer

Pour 4 personnes
500 g de moules
200 g de mesclun
250 g de tomates cerises
200 g de saumon fumé
1 boîte de maïs (150 g)
50 ml de vin blanc
1 citron
1 cuillère à soupe de vinaigre balsamique
2 cuillères à soupe d'huile d'olive
2 branches d'aneth
Sel et poivre

Faites cuire les moules avec le vin blanc*. Laissez-les refroidir. Dans un bol, mélangez le vinaigre, le citron, le poivre et l'huile. Assaisonnez ensuite le mesclun et déposez-le sur un plat. Ajoutez les tomates cerises coupées en 2, le saumon fumé coupé en petits morceaux, le maïs égoutté et les moules. Parsemez d'aneth ciselé.

* Voir la recette des moules marinières p. 92.

Le saumon est un poisson gras aux graisses protectrices pour les artères.
Le mesclun est un mélange de salades.
Cette recette permet d'allier l'équilibre alimentaire à la diversité des saveurs.

Salade de lentilles au miel

Pour 4 personnes
250 g de lentilles
2 cuillères à soupe d'huile d'olive
1 cuillère à soupe de vinaigre balsamique
1 cuillère à café de miel
Persil
Sel et poivre

Faites cuire les lentilles environ 20 à 25 mn.
Dans un bol, mélangez le vinaigre, le miel et l'huile. Salez et poivrez. Versez la vinaigrette sur les lentilles et mélangez. Réfrigérez au moins 1 h. Avant de servir, parsemez de persil.

Cette préparation simple et originale est riche en fibres alimentaires.

Salade mexicaine

Pour 6 personnes
1 petite salade frisée
2 avocats bien mûrs
1 boîte de cœurs de palmier (400 g)
1 boîte de haricots rouges (400 g)
2 endives
1/2 poivron jaune
1 citron 1/2
3 cuillères à soupe de vinaigre de xérès
6 cuillères à soupe d'huile d'olive.
Sel et poivre

Égouttez et rincez les haricots rouges. Égouttez les cœurs de palmier et coupez-les en rondelles. Lavez la salade à grande eau. Coupez les endives en morceaux. Épluchez les avocats et détaillez-les en petits morceaux ou en lamelles. Citronnez-les avec le jus du demi-citron pour éviter qu'ils noircissent. Dans un bol, mélangez le jus du citron, le vinaigre et l'huile. Salez et poivrez. Assaisonnez séparément la frisée, les endives et les cœurs de palmier. Dans un grand plat, déposez la frisée, ajoutez les endives, les haricots rouges, les cœurs de palmier et les avocats et parsemez de petits morceaux de poivron.

Cette salade colorée, riche en fibres alimentaires, vous apporte de nombreux vitamines et minéraux.

Salade chinoise

Pour 4/5 personnes
1 kg de carottes
500 g de germes de soja
300 g de crevettes
1 citron
2 cuillères à soupe d'huile d'olive
1 cuillère à soupe d'huile de colza
2 cuillères à soupe de vinaigre de xérès
1 bouquet de coriandre
Sel et poivre

Lavez, épluchez et râpez les carottes. Assaisonnez-les avec l'huile d'olive, le citron, le sel, le poivre et la coriandre ciselée. Couvrez d'un film plastique et placez au réfrigérateur.
Ébouillantez le soja et égouttez-le. Assaisonnez-le de vinaigre, d'huile de colza et de la moitié de la coriandre. Couvrez et placez au réfrigérateur. Décortiquez les crevettes. Égouttez les carottes et le soja. Juste avant de servir, mélangez les 2 légumes. Déposez les crevettes et parsemez du reste de coriandre ciselée.

Cette salade originale est composée de crevettes (70 g par personne), très maigres et contenant peu de cholestérol.

Salade de courgettes à la coriandre

Pour 4 personnes
1 kg de courgettes
2 citrons
1 botte de coriandre
1 cuillère à soupe d'huile d'olive
1 cuillère à café de sucre
Sel et poivre

Lavez les courgettes puis épluchez-les dans le sens de la longueur. Laissez une partie de la peau de la courgette (1 lamelle épluchée et 1 lamelle avec la peau). Épépinez-les. Coupez-les en petits morceaux dans un saladier, puis faites-les cuire 10 mn au micro-ondes avec un peu d'eau. Les courgettes doivent être bien cuites. Laissez-les refroidir. Ajoutez alors le jus des citrons, le sucre, l'huile et la coriandre ciselée. Salez et poivrez. Placez au réfrigérateur au moins 1 h. Avant de servir, rectifiez l'assaisonnement.

On peut aussi faire cuire les courgettes à la vapeur, puis les découper en morceaux.

Salade de carottes au cumin

Pour 5/6 personnes
1 kg de carottes
2 citrons
4 gousses d'ail
1 cuillère à soupe d'huile d'olive
1 cuillère à soupe d'un mélange d'huiles
1 cuillère à café rase de cumin
1 cuillère à café de paprika
1 botte de persil plat
Sel et poivre

Épluchez les carottes. Coupez-les en rondelles épaisses. Faites-les cuire dans de l'eau bouillante salée avec les gousses d'ail. Égouttez-les et gardez l'ail cuit.
Dans un bol, écrasez l'ail avec l'huile, le jus de citron, le cumin, le paprika, du sel et du poivre. Versez cette sauce sur les carottes. Mélangez. Couvrez et placez au réfrigérateur 1 à 2 h. Servez frais et parsemez de persil ciselé.

Très pauvre en matières grasses, cette salade associe 2 huiles qui se complètent parfaitement. Autre association d'huiles possible : colza et olive.

Salade de chou blanc et raisins secs

Pour 6 personnes
1 petit chou blanc
100 g de raisins secs
6 cuillères à soupe d'huile de colza
3 cuillères à soupe de vinaigre de xérès
1 cuillère à soupe de moutarde de Meaux
Sel et poivre

Enlevez la première peau du chou. Coupez-le en 4. Ébouillantez 4 mn. Émincez-le ensuite très finement.
Dans un bol, mélangez le vinaigre, la moutarde, l'huile de colza, le sel et le poivre. Assaisonnez le chou et ajoutez les raisins secs. Mélangez le tout. Couvrez et placez au réfrigérateur au moins 2 h.

L'huile de colza a une mauvaise réputation en France. À tort ! Elle est à l'heure actuelle (et depuis presque une dizaine d'années) considérée comme l'huile la plus équilibrée pour la prévention des maladies cardiovasculaires.

Salade de fenouil et de champignons

Pour 4 personnes
1,5 kg de fenouil
300 g de champignons de Paris
2 cuillères à soupe d'huile d'olive
1 cuillère à soupe d'un mélange d'huiles
1 citron
Persil plat
Sel et poivre

Enlevez le premier pétiole des fenouils et coupez ce dernier en tranches fines. Lavez puis émincez les champignons. Dans un bol, mélangez le citron, le sel, le poivre et l'huile. Assaisonnez séparément le fenouil et les champignons. Couvrez d'un film plastique et placez au réfrigérateur. Juste avant de servir, égouttez les 2 légumes et mélangez-les. Déposez-les sur un plat. Parsemez de persil ciselé.

Cette salade est riche en saveurs et pauvre en graisses.

Salade de fonds d'artichaut

Pour 4 personnes
300 g de fonds d'artichaut surgelés
3 oranges (dont 2 pressées)
1 citron
3 gousses d'ail
1 botte de coriandre
1 cuillère à soupe d'huile d'olive
Sel et poivre

Déposez les fonds d'artichaut dans une casserole. Ajoutez le jus de 2 oranges et du citron, puis les gousses d'ail entières épluchées. Salez et poivrez. Faites cuire environ 15 mn – les fonds d'artichaut doivent être bien cuits.
Découpez-les en morceaux dans un saladier et arrosez du jus de cuisson et d'huile d'olive. Épluchez la 3e orange à vif et découpez-la en petits morceaux. Déposez ceux-ci sur les fonds d'artichaut. Parsemez de coriandre ciselée. Placez au réfrigérateur au moins 1 h. Servez frais.

Sucré et salé, ce mélange judicieux et original est riche en vitamines antioxydantes et en minéraux.

Salade de mâche à l'orange

Pour 4 personnes
200 g de mâche
2 belles oranges
1 cuillère à soupe de vinaigre balsamique
1 cuillère à soupe d'huile d'olive
1 cuillère à soupe d'un mélange de 4 à 6 huiles
1 cuillère à café de sucre
Sel et poivre

Lavez la mâche plusieurs fois afin d'éliminer toutes traces de sable. Essorez-la. Laissez-la sécher sur un torchon.
Pelez les oranges à vif, puis ôtez les quartiers en enlevant la petite peau blanche qui les sépare. Coupez ensuite la pulpe en petits morceaux.
Dans un bol, mélangez l'huile, le vinaigre, le sucre, le sel et le poivre. Assaisonnez la salade. Disposez-la sur un plat. Ajoutez les morceaux d'orange et servez aussitôt.

La qualité des matières grasses consommées chaque jour influence le LDL-cholestérol. Nombreux sont les mélanges d'huiles équilibrés qui comptent 4 à 6 huiles. Tous sont recommandés pour leur association judicieuse.

Salade de pommes de terre aux citrons confits

Pour 4 personnes
1 kg de pommes de terre nouvelles
2 oignons rouges
2 petits citrons confits
20 olives noires
1 cuillère à soupe de cumin en poudre
1 verre de vin blanc (125 ml)
3 cuillères à soupe d'huile d'olive
1 cuillère à soupe d'huile de colza
1 gros citron
1 botte de coriandre
Sel et poivre

Faites cuire les pommes de terre à l'eau. Épluchez et émincez finement les oignons.
Épluchez les pommes de terre, coupez-les en rondelles. Mettez-les dans un saladier et arrosez immédiatement de vin blanc et du jus de citron. Salez et poivrez. Ajoutez le cumin. Prélevez la peau des citrons confits. Coupez-la en petits morceaux. Ajoutez-la aux pommes de terre avec les oignons. Versez l'huile. Mélangez. Rectifiez l'assaisonnement. Couvrez et laissez reposer 2 h à température ambiante. Avant de servir, déposez les olives et parsemez de coriandre ciselée.

Le saviez-vous ? Les olives vertes sont 2 fois moins grasses que les olives noires.

Salade d'endives, pommes et noix

Pour 5 personnes
1 kg d'endives
100 g de cerneaux de noix
4 cuillères à soupe d'huile de noix
1 cuillère à soupe de vinaigre de xérès
1/3 de citron pressé
1/2 botte de persil
Sel et poivre

Lavez les endives. Enlevez la feuille extérieure. Coupez-les en tronçons.
Dans un bol, mélangez l'huile, le vinaigre et le jus de citron. Salez et poivrez. Assaisonnez la salade d'endives et ajoutez les cerneaux de noix. Parsemez de persil ciselé.

Les noix contiennent des oméga 3. Ces lipides ont la propriété de fluidifier le sang et d'éviter la formation des caillots, responsables d'accidents cardiovasculaires. Une consommation régulière de noix ou d'huile de noix est nécessaire.

Salade d'épinards aux champignons

Pour 4 personnes
500 g de pousses d'épinards
300 g de champignons de Paris
Le jus d'1 citron
2 cuillères à soupe d'huile d'olive
2 cuillères à soupe d'huile de pépin de raisin
100 g de copeaux de parmesan
1 botte de coriandre
Sel et poivre

Lavez puis égouttez les épinards si nécessaire. Coupez-les en petits morceaux. Lavez et émincez les champignons. Dans un bol, mélangez le jus de citron et l'huile. Salez et poivrez. Assaisonnez séparément les épinards et les champignons. Déposez les épinards dans un plat. Ajoutez les champignons, les copeaux de parmesan et la coriandre ciselée.

Cette salade est très équilibrée. Champignons et épinards apportent fibres, minéraux et vitamines. Le parmesan est le fromage le plus riche en calcium. Les huiles sont une excellente source de vitamine E antioxydante.

Salade des îles

Pour 4 personnes
150 g de salade de mâche
1 avocat
250 g de tomates cerises
1 pamplemousse
8 à 10 œufs de caille
2 cuillères à soupe d'huile d'olive
1/2 citron
1 cuillère à soupe de vinaigre balsamique
Persil plat
Sel et poivre

Dans un bol, mélangez le jus de citron, le vinaigre et l'huile d'olive. Salez et poivrez. Cuisez les œufs de caille 3 mn dans l'eau bouillante, puis écalez-les. Débarrassez le pamplemousse de ses peaux jaunes et blanches. Pelez chaque quartier de pamplemousse à vif. Découpez l'avocat en petits morceaux. Citronnez et salez-le (pour éviter qu'il noircisse). Coupez les tomates cerises en 2. Déposez la mâche assaisonnée sur un grand plat. Ajoutez les morceaux d'avocat et de pamplemousse, les tomates cerises et les œufs de caille coupés en 2. Parsemez de persil ciselé. Servez aussitôt.

L'avocat est un fruit riche en graisses insaturées, sa composition équivaut à celle de l'huile d'olive.

Salade de haricots verts, pommes de terre et magrets fumés

Pour 4 personnes
600 g de haricots verts frais
300 g de pommes de terre rattes
200 g de magrets fumés
2 cuillères à soupe d'huile de noisette
1 cuillère à soupe d'huile de tournesol
2 cuillères à soupe de vinaigre de vin à la framboise
1/2 botte de ciboulette
Sel et poivre

Faites cuire les pommes de terre sans les éplucher. Équeutez les haricots verts et faites-les cuire dans l'eau bouillante. Enlevez le gras des magrets.
Dans un bol, mélangez l'huile, le vinaigre. Salez et poivrez. Assaisonnez séparément les haricots verts et les pommes de terre coupées en rondelles. Dans un plat, déposez les haricots verts, ajoutez les pommes de terre puis les magrets. Parsemez de ciboulette ciselée.

Remarque :
Les pommes de terre et les haricots verts ne doivent pas trop cuire.

L'huile de noisette est riche en oméga 3, aux propriétés nutritionnelles très intéressantes. Les oméga 3 fluidifient le sang et limitent la formation de caillots. Avoir 2 ou 3 huiles chez soi permet la plus grande variété : l'huile de noisette peut être remplacée par l'huile de noix.

Salade fraîcheur

Pour 4 personnes
250 g de chair de crabe au naturel ou surgelée
2 pommes rouges
1 laitue
1 pied de céleri
1 botte de radis
2 cuillères à soupe d'huile d'olive
2 citrons
3 brins d'estragon
Sel et poivre

Lavez et essorez la salade. Lavez les pommes. Coupez-les en tranches fines sans les éplucher. Arrosez d'un filet de jus de citron. Lavez et ôtez les premières tiges trop dures du pied de céleri et coupez celles du centre en tronçons. Assaisonnez la salade d'huile d'olive, du reste du jus de citron, de sel, de poivre et de 2 brins d'estragon ciselé. Dans un plat, disposez la salade et ajoutez les radis coupés en rondelles, le céleri, les miettes de crabe (égouttées ou décongelées) et les pommes. Parsemez du dernier brin d'estragon.

Remarque :
Vous pouvez remplacer le crabe par des crevettes.

La chair du crabe est comme celle des poissons blancs. Elle n'apporte pas de matières grasses.

Fromage blanc à la ciboulette

Pour 4/6 personnes
1 kg de fromage blanc à 20 % de MG en faisselle
2 yaourts brassés au lait entier
1 botte de ciboulette
2 branches d'estragon
Sel et poivre concassé

Dans un saladier, mélangez le fromage blanc et les yaourts, la ciboulette et l'estragon ciselés.
Salez et poivrez à convenance. Placez au réfrigérateur 1 h environ.

Remarque :
Vous pouvez servir ce fromage blanc en entrée ou dans un buffet pour accompagner des crudités.

Cette recette fraîche apporte du calcium en limitant l'apport en lipides saturés.

Crottin chaud sur poire

Pour 4 personnes
2 crottins de Chavignol mi-secs
1 salade de feuilles de chêne
2 poires assez mûres
3 cuillères à soupe d'huile d'olive
1 cuillère à soupe de vinaigre de vin à la framboise
Sel et poivre

Préchauffez le four (niveau gril). Lavez et égouttez la salade. Découpez les crottins en tranches. Épluchez les poires et coupez-les en 4. Posez les tranches de chèvre sur les morceaux de poire. Recouvrez la plaque du four de papier sulfurisé. Déposez les poires. Faites cuire quelques minutes. Assaisonnez la salade avec le vinaigre, l'huile, le sel et le poivre. Disposez la salade sur un plat. Ajoutez les morceaux de poire. Servez aussitôt.

Un demi-crottin est tout à fait compatible avec le cholestérol. À condition de consommer du fromage 1 seule fois dans la journée.

Navets aux noisettes

Pour 4 personnes
500 g de navets jaunes
2 carottes
2 cuillères à soupe de vinaigre de cidre
3 cuillères à soupe d'huile de noisette
25 g de noisettes
1/2 botte de ciboulette
Sel et poivre

Épluchez les navets et les carottes. Râpez-les. Préparez l'assaisonnement en mélangeant le vinaigre, le sel, le poivre et l'huile. Versez la vinaigrette sur les légumes. Ajoutez la ciboulette ciselée. Mélangez. Concassez grossièrement les noisettes et parsemez-en la salade.

Ce plat à base de légumes est facile à réaliser. L'huile de noisette apporte une saveur originale et des matières grasses insaturées.

Poivrons rouges et verts marinés

Pour 5 personnes
750 g de poivrons rouges
250 g de poivrons verts
3 cuillères à soupe d'huile d'olive
1 citron
1 cuillère à café de miel
1 cuillère à café de cumin
Sel et poivre

Déposez les poivrons sur la plaque du four recouverte de papier aluminium. Allumez le four en position gril. Faites cuire les poivrons environ 20 mn en les retournant. Pelez-les après les avoir passés sous l'eau froide. Épépinez-les et découpez-les en lamelles. Déposez-les dans un saladier, ajoutez l'huile, le citron, le miel, le cumin, le sel et le poivre. Mélangez. Couvrez et placez au réfrigérateur au moins 2 h. Au moment de servir, égouttez-les et disposez-les sur un plat.

Sources de fibres alimentaires et de minéraux, les légumes doivent être consommés au moins 1 à 2 fois par jour, crus ou cuits.

Rillettes de saumon

Pour 4/6 personnes
800 g de pavé de saumon
1 yaourt nature brassé
1 échalote
1 citron pressé
4 cuillères à soupe d'huile d'olive (40 ml)
1/2 botte de cerfeuil
1/2 botte de persil
4 branches d'aneth
Sel et poivre

Faites cuire le saumon à la vapeur 4 mn. Enlevez la peau. Émiettez-le grossièrement. Ajoutez le yaourt, le cerfeuil ciselé, l'aneth effeuillé, l'échalote hachée, le jus de citron, l'huile d'olive, le sel et le poivre. Remuez bien. Goûtez le mélange et rectifiez l'assaisonnement si nécessaire. Mettez la préparation dans une terrine ou un saladier. Couvrez et placez au réfrigérateur au moins 12 h. Servez accompagné de pain grillé.

Tartinez à volonté des rillettes... de saumon. Comme pour tous les poissons, les graisses insaturées du saumon contribuent à protéger les artères.

Haddock en salade

Pour 4 personnes
400 g de filet de haddock
1/4 de litre de lait demi-écrémé
1 salade de feuilles de chêne
30 g de pistaches concassées
1 cuillère à soupe d'huile d'olive
2 cuillères à soupe de crème liquide à 15 % de matières grasses
1 orange pressée
1/2 botte de persil plat
Poivre

Mettez le haddock dans une casserole avec 1/4 de litre de lait et 1/4 d'eau. Portez à frémissement et ôtez du feu. Égouttez le poisson sur du papier absorbant. Mélangez dans un bol l'huile, le jus d'orange, la crème liquide et un peu de poivre. Lavez et égouttez la salade. Assaisonnez-la. Disposez-la sur un plat. Enlevez la peau du haddock et effilochez la chair. Disposez-la sur la salade. Parsemez de persil ciselé et de pistaches.

Les pistaches et l'huile d'olive renferment des matières grasses insaturées, protectrices pour les artères. À 15 %, la crème apporte 2 fois moins de lipides saturés que la crème fraîche classique.

Haddock mariné au citron vert

Pour 6 personnes
600 g de haddock
3 citrons verts
30 cl de lait demi-écrémé
30 cl d'eau
1 cuillère à soupe de sauce soja
1 botte de ciboulette
2 cuillères à soupe d'huile d'olive

Faites pocher le poisson 3 mn dans le mélange de lait et d'eau frémissant. Sortez-le et laissez refroidir. Préparez la marinade : mélangez le jus des citrons verts, l'huile d'olive et la sauce soja. Dès que le poisson est froid, retirez la peau et détachez la chair pour récupérer les lamelles. Disposez-les dans la marinade, mélangez et réservez au frais au moins 1 h. Servez le poisson très frais, parsemé de ciboulette ciselée accompagné d'une salade verte.

La sauce soja, la ciboulette et le citron vert parfument agréablement le poisson et n'apportent aucune graisse.

Gaspacho

Pour 4 personnes
1,5 kg de tomates
1 concombre
1 poivron
2 tranches de pain de mie complet
2 gousses d'ail
2 petits oignons
2 cuillères à soupe d'huile d'olive
100 ml d'eau
1 citron
Sel et poivre

Épluchez et épépinez les tomates. Enlevez les bords des tranches du pain de mie. Pressez le citron. Mixez tous les ingrédients : ail, oignons, huile, eau. Salez et poivrez. Placez au réfrigérateur 2 h environ. Servez cette soupe accompagnée de petits morceaux de concombre et de poivron.

Cette soupe peut être consommée à volonté. Elle ne contient aucune graisse !

Soupe de courgettes

Pour 4 personnes
1,5 kg de courgettes
1 bouillon cube et demi de volaille
1 l d'eau
3 fromages fondus (40 g) (Vache-qui-rit)
1 gousse d'ail
Sel et poivre

Épluchez les courgettes. Coupez-les en 2 dans le sens de la longueur et égrenez-les. Détaillez-les en cubes. Dans une casserole, déposez les courgettes, le bouillon de volaille, la gousse d'ail. Ajoutez l'eau. Salez et poivrez. Faites cuire 20 mn – les courgettes doivent être bien cuites. Enlevez la casserole du feu. Ajoutez les fromages. Mélangez. Mixez. Rectifiez l'assaisonnement.

Remarque :
Si vous préférez cette soupe froide, versez-la dans un plat creux. Laissez-la refroidir. Couvrez et placez au réfrigérateur plusieurs heures.

Ne contenant aucune graisse, cette soupe peut être consommée à volonté. Rassasiante et nourrissante, elle apporte de plus minéraux et vitamines antioxydantes.

Soupe de melon

Pour 4 personnes
2 melons de Cavaillon
2 pamplemousses roses
Quelques feuilles de menthe

Coupez les melons en 2 et videz-les. Pressez le jus des pamplemousses dans un saladier. Ajoutez la chair des melons. Mixez le tout. Couvrez et placez au réfrigérateur au moins 1/2 journée. Disposez quelques feuilles de menthe sur la soupe juste avant de servir.

Tous les fruits peuvent être consommés en cas d'hypercholestérolémie. On recommande 2 fruits par jour pour les fibres alimentaires, les vitamines et les minéraux.

VIANDES

Carpaccio de bœuf

Pour 4 personnes
400 g de filet ou de rumsteack de bœuf
2 cuillères à soupe d'huile d'olive ou de noisette
1/2 citron pressé
30 g de parmesan
1/2 bouquet de coriandre
Sel et poivre concassé

Demandez à votre boucher de détailler la viande en lamelles aussi fines que possible. Disposez les lamelles sur un plat. Mélangez le jus de citron et l'huile, puis badigeonnez de ce mélange les lamelles de bœuf. Couvrez les assiettes de film étirable et placez-les 15 mn au réfrigérateur.
À l'aide d'un épluche-légume, coupez le parmesan en copeaux. Au moment de servir, salez et poivrez le carpaccio et répartissez le fromage. Arrosez de l'assaisonnement restant et décorez de coriandre ciselée.

Le rumsteack est un morceau maigre : il contient seulement 5 % de matières grasses. Privilégiez les morceaux maigres des viandes et alternez avec les volailles et surtout les poissons.

Aiguillettes de canard au gingembre et au miel

Pour 4 personnes
600 g d'aiguillettes de canard
350 g de semoule moyenne
4 pêches
100 g de miel
2 cuillères à soupe de sauce soja
1 cuillère à soupe de gingembre fraîchement râpé
1 cuillère à soupe de graines de sésame

Dans un plat à gratin, mélangez le miel, la sauce soja, le gingembre et les graines de sésame. Déposez ensuite les aiguillettes de canard et enrobez celles-ci de marinade. Couvrez et placez au réfrigérateur quelques heures.
Versez le contenu du plat dans une poêle. Faites cuire 3 à 5 mn. Déposez la viande sur un plat avec de la semoule et des pêches pochées 3 mn dans de l'eau bouillante. Servez la sauce à part.

L'aiguillette de canard est très pauvre en graisses. La sauce soja n'en contient pas.

Filets de canard et leur purée de pois cassés

Pour 4 personnes
2 gros filets de canard (2 fois 400 g)
300 g de pois cassés
200 ml de lait demi-écrémé
2 cuillères à soupe d'huile d'olive
Sel et poivre

Déposez les pois cassés dans une casserole. Recouvrez d'eau froide. Faites cuire environ 30 mn – les légumes doivent être tendres. Salez en milieu de cuisson. Égouttez les pois cassés avec une passoire (ou un chinois). Mixez les pois cassés avec l'huile et le lait. Salez, poivrez.
Faites cuire pendant environ 10 mn les filets côté peau dans une poêle anti-adhésive. Jetez la graisse rendue par la viande et essuyez la poêle. Retournez la viande et faites cuire environ 5 mn, selon la cuisson désirée. Coupez les filets en tranches et servez, accompagné de la purée.

Le canard est une viande peu grasse, à condition de retirer la peau.

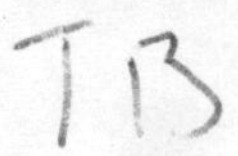

Colombo de poulet

Pour 4 personnes
1 poulet découpé en morceaux
3 petites courgettes
3 carottes
3 gousses d'ail
1 oignon
2 cuillères à soupe de colombo
2 clous de girofle
1 cuillère à soupe d'huile d'olive
2 branches de thym
Sel et poivre

Dans une cocotte, déposez les carottes et l'oignon coupés très finement. Ajoutez l'huile d'olive, du sel et le poivre. Faites cuire à couvert à feu doux environ 10 mn. Ajoutez les morceaux de poulet, les courgettes coupées et évidées, l'ail épluché, le colombo, les clous de girofle et et le thym. Recouvrez de 300 ml d'eau. Salez et poivrez. Faites mijoter à feu doux et à couvert pendant 1 h à 1 h 30.

Remarque :
Le colombo est un mélange d'épices que vous trouverez dans les magasins de produits exotiques.

La variété des épices met en appétit pour cette préparation légère. Vous pouvez ajouter 1 à 2 pommes de terre vapeur pour faire de cette recette un plat complet.

Émincé de poulet à l'orange

Pour 4 personnes
300 g d'escalopes de poulet
2 oranges pressées
2 cuillères à soupe de crème fraîche à 15 % de matières grasses (40 g)
1 cuillère à soupe rase de Maïzena
Sel et poivre

Laissez les escalopes de poulet dans leur épaisseur. Coupez-les en morceaux. Mélangez la Maïzena avec le jus d'orange et la crème fraîche. Salez et poivrez. Déposez le poulet dans une poêle ou un wok. Ajoutez le mélange crème-orange. Faites cuire à feu doux 10 mn environ. Servez immédiatement.

Idée d'accompagnement : jardinière de légumes.

La crème fraîche allégée apporte 2 fois moins de lipides saturés que la crème fraîche classique.

Poulet à la bière

Pour 4 personnes
1 poulet découpé en morceaux
1/2 bouteille de bière blonde
1 grosse poignée de raisins secs (50 g)
8 tranches fines de bacon
2 à 3 oignons (rouges de préférence)
Sel et poivre

Déposez les morceaux de poulet dans la cocotte. Ajoutez les oignons émincés, le bacon coupé en morceaux, la bière et les raisins secs. Salez et poivrez. Couvrez et laissez cuire au moins 1 h à feu doux. À mi-cuisson, enlevez le couvercle.

Idée d'accompagnement : tagliatelles.

Le bacon est maigre. Il permet de remplacer les lardons plus gras qui sont très souvent utilisés dans les recettes.

Poulet basquaise

Pour 4 personnes
1 poulet découpé en morceaux
1 boîte de tomates concassées
2 poivrons
2 oignons
2 gousses d'ail
2 tranches de jambon de Bayonne dégraissées
1 cuillère à soupe d'un mélange d'huiles
1 cuillère à soupe d'huile d'olive
2 branches de thym
1 feuille de laurier
Sel et poivre

Faites revenir les morceaux de poulet dans l'huile chaude, dans une cocotte en fonte. Jetez la graisse de la cocotte. Ajoutez les poivrons, les oignons, le jambon coupé en petits morceaux, les tomates, l'ail, le laurier et le thym. Salez et poivrez. Laissez mijoter à couvert à feu doux au moins 1 h. Si la sauce est un peu acide, ajoutez 1 ou 2 morceaux de sucre.

Le jambon de Bayonne dégraissé contient 10 % de matières grasses, ce qui est très peu pour une charcuterie. Les jambons crus peuvent remplacer la viande et les charcuteries de temps en temps. Retirez le gras pour limiter l'apport en lipides saturés.

Poulet tandoori

Pour 4 personnes
600 g de blancs de poulet
600 g de fromage blanc à 20 % de matières grasses
1 cuillère à soupe d'épices tandoori
Sel

Mélangez le fromage blanc, les épices et le sel dans un plat à gratin. Ajoutez les blancs de poulet coupés en deux. Mélangez et couvrez. Placez au réfrigérateur la préparation le plus longtemps possible – au moins 4 h. Préchauffez le four à 180° (Th. 6). Faites cuire le poulet 15 à 20 mn. Sortez le plat du four et enlevez les morceaux de poulet. La sauce ne se mange pas. Servez immédiatement.

Idée d'accompagnement : une purée de carottes accompagnera volontiers ce plat.

Remarque :
Surveillez la cuisson, la viande ne doit pas trop cuire.

Cette préparation ne se réchauffe pas : dégustez-la froide assaisonnée de citron et d'un filet d'huile d'olive.

Terrine de foie de volaille

Pour 3/5 personnes
500 g de foies de volaille
500 g d'oignons
2 œufs
Sel et poivre

Préchauffez le four à 150° (Th. 5). Émincez les oignons. Mettez-les dans une poêle. Ajoutez un verre d'eau. Salez généreusement. Couvrez et laissez cuire à feu moyen environ 30 mn. Les oignons doivent être moelleux. Égouttez-les s'il reste de l'eau.
Dégraissez les foies de volaille si nécessaire. Mixez les oignons, les foies et les œufs. Vous devez obtenir un mélange homogène. Salez et poivrez. Versez la préparation dans un moule à cake légèrement huilé. Faites cuire au bain-marie environ 40 mn. Sortez la terrine du four. Laissez-la refroidir. Couvrez et placez au réfrigérateur au moins 12 h. Servez cette terrine en entrée ou accompagnée d'une salade.

Remarque :
Surveillez la cuisson des oignons. N'hésitez pas à ajouter de l'eau s'ils attachent.

Cette recette apporte très peu de matières grasses. Le foie est une viande maigre (5 % de matières grasses). Même s'il contient une grande quantité de cholestérol, cet aliment peut être consommé occasionnellement.

Lapin aux pruneaux

Pour 4/5 personnes
1 gros lapin coupé en morceaux
300 g de pruneaux d'Agen
50 cl de jus de pruneaux
10 cl de vinaigre de xérès
3 gousses d'ail
3 brins de romarin
10 feuilles de sauge
1 cuillère à soupe de fond de veau
Sel et poivre

Dans une cocotte, faites chauffer le jus de pruneaux avec le fond de veau, le vinaigre, les gousses d'ail et les herbes ciselées. Poivrez et salez. Mélangez le tout.
Déposez les morceaux de lapin dans la cocotte. Ajoutez les pruneaux. Couvrez et laissez cuire à feu doux environ 1 h. Remuez en cours de cuisson.

Idée d'accompagnement : purée de courgettes.

Cette recette facile et appétissante contient très peu de matières grasses. Le lapin est une des viandes les plus maigres.

Lapin à la moutarde et à la crème

Pour 3/4 personnes
1 lapin coupé en morceaux
3 cuillères à soupe de crème allégée à 15 % de matières grasses
3 cuillères à soupe de moutarde de Dijon
3 cuillères à soupe de farine
1/3 litre d'eau
1 bouillon cube de volaille
Sel

Dans une cocotte, déposez les morceaux de lapin. Ajoutez le mélange de crème, de moutarde et de farine délayée préalablement avec de l'eau et le cube de volaille. Salez. Couvrez et laissez cuire à feu moyen pendant 40 mn environ. Si la sauce est trop épaisse, ajoutez un peu d'eau.

Idée d'accompagnement : purée de céleri.

La chair du lapin apporte moins de 3 % de matières grasses, limitant l'apport en graisses saturées nuisibles aux artères.

Steak tartare

Pour 4 personnes
600 g de steak haché frais (rumsteack ou filet)
1 cuillère à café de sauce Worcesthershire
1 cuillère à soupe d'huile d'olive
4 jaunes d'œuf
2 cuillères à café de moutarde
3 cuillères à soupe de ketchup
Fleur de sel, poivre au moulin

Mélangez le bœuf bien froid avec l'huile, la sauce Worcesthershire, le ketchup, la moutarde, le sel et le poivre. Divisez la préparation en 4 pour former 4 pavés. Disposez 1 pavé par assiette et déposez sur chacun d'eux 1 jaune d'œuf. Servez immédiatement.

Le rumsteack est un morceau maigre. La consommation d'1 jaune d'œuf par personne est possible si, pendant la semaine, la consommation totale des œufs ne dépasse pas 2 à 3 œufs.

Steak tartare au whisky

Pour 6 personnes
1 kg de bœuf haché frais (rumsteack ou filet)
2 jaunes d'œuf
1 cuillère à soupe de moutarde
1 cuillère à soupe d'huile d'olive
1 oignon haché très fin
10 olives vertes finement hachées
1 cuillère à café de câpres
1 verre de whisky
Sel et poivre

Dans un saladier, pétrissez la viande avec le whisky. Ajoutez tous les autres ingrédients. Salez et poivrez. Mélangez. Façonnez 6 steaks que vous garderez au réfrigérateur avant de servir.

Idée d'accompagnement : salade verte aux noix.

L'ajout des jaunes d'œuf est possible compte tenu de la quantité par personne (2 pour 6 personnes).

Épaule d'agneau aux épices

Pour 6 personnes
1 épaule d'agneau
1 bouquet de persil plat
1 botte de coriandre fraîche
1 cuillère à soupe de gingembre en poudre
1 cuillère à soupe de cannelle
2 doses de safran
2 cuillères à soupe de fond de volaille
3 cuillères à soupe d'huile d'olive
Sel et poivre

Mélangez le persil et la coriandre ciselés avec les épices, l'huile d'olive, du sel et du poivre. Étalez ce mélange autour de l'épaule et laissez reposer 6 h au réfrigérateur. Mettez l'épaule dans une cocotte en fonte et saupoudrez de fond de volaille. Faites cuire 3 h sur feu très doux en retournant l'épaule toutes les 30 mn. La surface doit être caramélisée sans être brûlée.

Idée d'accompagnement : une purée d'aubergines.

L'épaule d'agneau reste un morceau gras. Il peut être consommé de temps en temps.

Gigot au citron et à la coriandre

Pour 8 personnes
1 beau gigot de 2 kg
2 citrons non traités
75 g de pignons
4 gousses d'ail
3 bouquets de coriandre fraîche
2 cuillères à soupe d'huile d'olive
Sel et poivre

Préchauffez le four à 220° (Th. 7). Ciselez la coriandre et mélangez-la à l'huile d'olive.
Badigeonnez le gigot de cette préparation. Épluchez les gousses d'ail. À l'aide d'un couteau économe, prélevez le zeste des citrons en les coupant en bâtonnets. Avec un couteau pointu, faites des incisions dans le gigot et enfoncez dans chacune 1 morceau d'ail, 1 bâtonnet de zeste de citron et 1 pignon. Parsemez le gigot du reste de pignons. Poivrez. Déposez le gigot dans un plat et ajoutez 1 verre d'eau. Faites-le cuire au four environ 40 mn en arrosant fréquemment. Ajoutez de l'eau si nécessaire. Salez 1/4 d'h avant la fin de la cuisson.

Idée d'accompagnement : salsifis.

Le gigot est un morceau gras. À consommer ponctuellement.

Pavés d'autruche à la purée d'endives

Pour 4 personnes
4 pavés d'autruche
1,5 kg d'endives
1 gousse d'ail
10 g de farine
10 g de margarine aux phytostérols à cuire
Sel et poivre

Faites bouillir 1,5 kg d'endives dans de l'eau salée pendant 30 mn. Il est préférable de couper les endives dans le sens de la longueur et de retirer le trognon. Égouttez les endives dans une passoire fine puis écrasez-les dans cette même passoire avec une large cuillère en bois pour en extraire toute l'eau. Puis déposez les endives dans une casserole. Ajoutez alors l'ail haché, la margarine et la farine. Mélangez bien le tout. Laissez cuire à feu très doux 15 mn, en remuant de temps en temps. Poivrez et salez à votre convenance. Dans une poêle anti-adhésive, faites cuire les pavés d'autruche selon la cuisson désirée. Garnissez avec la purée d'endives.

L'autruche est une viande rouge maigre, comparable au rumsteack. Elle se mange saignante ou à point.

Pavés de biche aux airelles et aux marrons

Pour 4 personnes
4 pavés de biche
1 bocal d'airelles au naturel
3 boîtes de purée de marrons surgelée (3 x 450 g)
1 cuillère à soupe de crème légère à 15 % de matières grasses
Sel et poivre

Décongelez la purée de marrons au micro-ondes, puis ajoutez la crème, du sel et du poivre.
Réchauffez doucement les airelles dans une casserole, et égouttez-les. Dans une poêle anti-adhésive, faites cuire les pavés de biche selon la cuisson désirée. Garnissez la viande de purée et d'airelles.

La biche est une viande maigre, comme tous les gibiers. Les airelles sont des fruits rouges, sources de vitamines antioxydantes protectrices pour les artères.

Veau aux olives

Pour 4 personnes
1 kg de bas de carré ou jarret de veau
1 boîte de tomates concassées (400 ml)
2 oignons rouges
2 gousses d'ail
100 ml de vin blanc
150 g d'olives vertes dénoyautées
1 cuillère à soupe d'huile d'olive
5 branches de thym
2 feuilles de laurier
Sel et poivre

Dans une cocotte, faites revenir la viande dans l'huile chaude environ 5 mn. Ajoutez les tomates, les oignons émincés, l'ail épluché, le vin blanc, les olives, les 5 branches de thym et les 2 feuilles de laurier. Salez et poivrez.
Faites mijoter à feu doux et à couvert au moins 2 h. Rectifiez l'assaisonnement au besoin. Ajoutez 2 cuillères à café de sucre si la sauce est trop acide.

Idée d'accompagnement : des haricots blancs.

Les olives vertes sont des fruits oléagineux riches en matières grasses insaturées, tout comme l'huile d'olive.

Émincé de veau à l'estragon

Pour 4 personnes
600 g d'escalopes de veau épaisses
1 verre de vin blanc (125 ml)
1 verre d'eau (125 ml)
4 cuillères à soupe de crème légère à 15 % de matières grasses
1 cuillère à soupe d'un mélange d'huiles
3 branches d'estragon
Sel et poivre

Coupez les escalopes en lanières.
Dans une casserole, mettez le vin, l'eau et les feuilles d'estragon. Portez à ébullition, puis diminuez le feu et laissez réduire de moitié. Ajoutez la crème, du sel et du poivre. Laissez cuire quelques minutes. Pendant ce temps, faites revenir le veau dans une poêle anti-adhésive avec l'huile, du sel et du poivre, 3 à 4 mn environ. Ajoutez la viande à la préparation précédente. Mélangez et servez.

Idée d'accompagnement : des petits pois.

L'escalope de veau est une viande maigre. L'alcool s'évapore à la cuisson et n'apporte pas de calories. La crème fraîche à 15 % de matières grasses est 2 fois moins riche en graisses saturées que la crème classique.

POISSONS

Carpaccio de thon

Pour 4 personnes
400 g de filets de thon frais
4 branches d'aneth
2 citrons pressés
2 cuillères à soupe d'huile d'olive
Sel et poivre

Demandez à votre poissonnier de découper le thon en lamelles aussi fines que possible. Disposez les lamelles dans un plat. Parsemez d'aneth. Assaisonnez avec le jus de citron.
Placez au réfrigérateur environ 20 mn. Au moment de servir, salez et poivrez à votre convenance et arrosez chaque assiette d'huile d'olive.

Cette recette légère peut être servie en entrée ou en plat principal.

Thon mi-cuit aux épices

Pour 6 personnes
6 pavés de thon de 150 g chacun
2 cuillères à soupe de 4 épices
2 cuillères à soupe d'huile de noisette
1 cuillère à café de poivre 5 baies

Mélangez les 4 épices et le poivre 5 baies. Passez les deux côtés des pavés de thon dans ce mélange. Faites-les revenir 30 s chaque côté dans une poêle anti-adhésive. Disposez dans un plat les pavés. Versez un filet d'huile de noisette. Accompagnez d'une salade verte assaisonnée de citron et d'huile de noisette.

L'huile de noisette est originale. Trop souvent oubliée, sa composition équivaut à celle de l'huile d'olive ou l'huile de noix.

Curry de thon

Pour 4 personnes
600 g de thon frais (en tranches épaisses)
200 ml de coulis de tomates
1 cuillère à soupe de curry doux
1 boîte de lait de coco (400 ml)
2 cuillères à café de Maïzena
1/2 citron vert pressé
1 botte de coriandre
Sel

Délayez la Maïzena dans le coulis de tomates. Dans une cocotte, déposez le thon. Ajoutez tous les ingrédients et la moitié de la botte de coriandre ciselée. Faites cuire à feu doux à couvert environ 10 mn. Au moment de servir, parsemez du reste de coriandre ciselée.

Remarque :
Surveillez la cuisson du thon. Trop cuit, il devient sec.

Le thon est un poisson maigre. Le coulis de tomates n'apporte aucune matière grasse. Utilisez le lait de coco ponctuellement car ses lipides sont saturés.

Terrine de saumon

Pour 4 personnes
500 g de saumon
500 g d'oignons
3 œufs
1 cuillère à soupe de crème fraîche à 15 % de matières grasses
Épices ou aromates
Sel et poivre

Préchauffez le four à 150° (Th. 5). Enlevez la peau du saumon.
Faites fondre les oignons dans une poêle anti-adhésive avec un peu d'eau. Broyez dans un mixer le saumon, les oignons bien égouttés, la crème et les œufs. Rectifiez l'assaisonnement. Graissez un moule à cake avec un peu d'huile et versez la préparation. Enfournez 20 mn.

Le saumon est un poisson gras aux lipides insaturés protecteurs pour les artères. On conseille les poissons au moins 2 à 3 fois par semaine.

Saumon en croûte de sel

Pour 6 personnes
1 saumon frais de 1,5 kg
2 kg de gros sel
2 blancs d'œuf
Quelques feuilles de menthe

Demandez à votre poissonnier de vider le saumon sans l'écailler. Préchauffez le four à 220° (Th. 7).
Mélangez le gros sel aux blancs d'œuf. Faites un lit de gros sel sur la plaque du four. Déposez le poisson. Farcissez l'intérieur avec quelques feuilles de menthe. Recouvrez-le entièrement de gros sel restant, en tassant légèrement. Faites cuire 45 mn. Lorsque le poisson est cuit, cassez la croûte de sel et ôtez la peau. Servez avec une purée de pommes de terre à l'huile d'olive. (Voir recette p. 116.)

Les blancs d'œuf ne contiennent ni matières grasses ni cholestérol. Le saumon est un poisson gras aux graisses insaturées protectrices.

Darnes de merlu à la tomate

Pour 6 personnes
6 darnes de merlu de 200 g
2 boîtes de tomates concassées
3 dl de fumet de poisson (3 cuillères à café de fumet en poudre + 300 ml d'eau)
2 cuillères à soupe d'huile d'olive
2 gousses d'ail
1 branche de basilic
Sel et poivre

Faites réduire de moitié le fumet de poisson sur feu vif. Dans une sauteuse, mélangez les tomates, l'ail, l'huile d'olive et le fumet réduit. Laissez cuire pendant 15 mn. Déposez les darnes de poisson. Faites cuire 3 mn de chaque côté. Au dernier moment, ajoutez le basilic ciselé. Salez et poivrez.

Remarque :
Vous trouverez le fumet de poisson en grande surface.

Le plaisir des sauces sans l'apport des matières grasses. Comme les autres poissons blancs, le merlu contient moins de 1 % de lipides.

Dorade à la sauce aux huîtres

Pour 4 personnes
1 dorade de 1,5 kg
15 cl de sauce aux huîtres
1 gousse d'ail
1 botte de coriandre

Préchauffez le four à 180° (Th. 6). Versez la moitié de la sauce aux huîtres dans un plat à gratin de même dimension que le poisson. Posez la dorade. Glissez à l'intérieur quelques brins de coriandre. Épluchez et émincez 1 gousse d'ail et mélangez-la au reste de sauce. Versez sur la dorade et recouvrez de coriandre ciselée. Faites cuire 20 à 30 mn. Vérifiez la cuisson en enfonçant la pointe d'un couteau dans le poisson.

Remarque :
Vous trouverez la sauce aux huîtres dans les magasins asiatiques ou dans les grandes surfaces.

La sauce huître ne contient aucune matière grasse et apporte une saveur originale.

Tartare de dorade aux pêches

Pour 4 personnes
400 g de filets de dorade très finement coupés
2 pêches jaunes
1 pamplemousse pressé
1 citron vert pressé
1 à 2 cuillères à soupe d'huile d'olive
1 bouquet d'aneth
Poivre 5 baies
Sel

Pelez et coupez les pêches en fines tranches. Étalez les filets de dorade sur un plat. Couvrez-les de jus de citron vert et de pamplemousse. Salez et poivrez. Ajoutez l'aneth ciselé, les morceaux de pêches, le sel et le poivre. Versez l'huile d'olive. Réservez 30 mn au frais avant de servir parsemé d'aneth.

L'association sucré/salé est toujours originale. Cette préparation est très simple, peu grasse et riche en vitamines antioxydantes qui contribuent à protéger les artères.

Truite aux amandes

Pour 4 personnes
1 grosse truite de mer (1,5 à 2 kg)
1 cuillère à soupe d'amandes effilées (10 g)
3 bananes
10 g de margarine au tournesol
4 feuilles de laurier
Sel et poivre

Demandez à votre poissonnier de défaire l'arête centrale de la truite. Faites dorer les amandes dans une poêle avec la margarine. Ajoutez les bananes coupées en rondelles. Laissez cuire quelques minutes. Garnissez le poisson avec ce mélange encore chaud. Déposez-le dans un plat allant au four recouvert de papier aluminium. Ajoutez le laurier et fermez la papillote. Faites cuire au four à 180° (Th. 6) pendant environ 20 mn – le temps dépend de la grosseur du poisson.

Remarque :
Pour éviter que le poisson ne se dessèche, surveillez attentivement la cuisson.

Comme tous les poissons, la truite contient essentiellement des lipides insaturés, protecteurs pour les artères. Les amandes sont riches en matières grasses, mais leur qualité est équivalente à celle des poissons.

Moules marinières

Pour 4 personnes
2 kg de moules
1 oignon
15 g de margarine aux stérols végétaux (à cuire)
20 cl de vin blanc sec
2 branches de thym
1 feuille de laurier
1/2 botte de persil plat
Poivre

Lavez les moules et retirez la barbe s'il y en a. Pelez l'oignon en petits morceaux. Faites fondre la margarine dans la cocotte, ajoutez l'oignon et faites cuire 5 à 10 mn jusqu'à ce qu'il soit transparent. Versez le vin, ajoutez le persil ciselé, le thym, le laurier et le poivre. Portez à ébullition 5 mn. Ajoutez les moules, couvrez et faites cuire à feu vif 15 à 20 mn, jusqu'à ce qu'elles s'ouvrent. Dès l'ouverture, mélangez et retirez du feu.

Les nouvelles margarines aux stérols végétaux empêchent une partie du cholestérol des aliments de passer dans le sang. Leur efficacité est prouvée et leur consommation recommandée, en tartine ou pour la cuisson.

Moules au curry

Pour 4 personnes
2 kg de moules
2 cuillères à soupe de crème liquide à 15 % de matières grasses (40 g)
1 oignon
1 échalote
10 cl de vin blanc sec
1 cuillère à soupe de curry
Huile d'olive

Lavez les moules et retirez la barbe s'il y en a. Épluchez et émincez l'échalote et l'oignon dans une cocotte. Ajoutez 1 filet d'huile d'olive et laissez cuire quelques minutes. Ajoutez le vin blanc, la crème liquide et le curry. Lorsque le mélange frémit, jetez les moules dans la cocotte. Couvrez et faites cuire à feu moyen 10 à 15 mn, jusqu'à ce qu'elles s'ouvrent. Dès l'ouverture, mélangez et retirez du feu.

La crème est allégée – ce qui limite l'apport en matières grasses insaturées. Les moules sont pauvres en graisses. Elles peuvent être consommées à la place du poisson ou de la viande.

Fricassée de moules au cognac

Pour 4 personnes
2 kg de moules
20 g de margarine aux stérols végétaux (à cuire)
3 cuillères à soupe de cognac

Lavez les moules et retirez la barbe s'il y en a. Chauffez la margarine dans un fait-tout. Ajoutez les moules et, 5 mn après, le cognac. Mélangez bien. Laissez cuire environ 10 à 15 mn – toutes les moules doivent être ouvertes. Servez chaud.

Le cognac relève ce plat sans apporter de calories supplémentaires, l'alcool s'évaporant à la cuisson.

Filets de lieu jaune au vin blanc

Pour 3 personnes
600 g de filets de lieu jaune
25 cl de crème liquide à 15 % de matières grasses
2 jaunes d'œuf
50 ml de vin blanc
1 cuillère à café rase de Maïzena
Persil plat
Thym
Huile d'olive
Sel et poivre

Préchauffez le four à 180° (Th. 6). Déposez les filets de poisson dans de l'aluminium. Émiettez un peu de thym. Salez et poivrez. Ajoutez un filet d'huile d'olive. Fermez la papillote. Enfournez 5 à 7 mn.
Dans une casserole, délayez les jaunes d'œuf avec la Maïzena. Ajoutez la crème, le vin blanc, du sel, du poivre et un peu de thym. Faites épaissir sur feu moyen en tournant constamment avec une spatule en bois environ 5 mn. Servez le poisson nappé de sauce accompagné de pommes de terre vapeur et de choucroute cuite au naturel. Parsemez de persil ciselé.

La sauce à base de crème allégée, d'œufs et de vin blanc contient peu de matières grasses.

Haddock et tagliatelles vertes

Pour 4/6 personnes
800 g de haddock
350 g de tagliatelles vertes
2 l de lait demi-écrémé
40 g de Maïzena
1/2 botte de persil plat

Faites dessaler le poisson dans 1 l de lait et 1 l d'eau pendant une journée. Jetez la marinade. Dans une casserole, déposez le haddock avec 1 litre de lait. Faites cuire environ 7-8 mn à feu doux. Enlevez le poisson et gardez-le au chaud. Faites une béchamel légère (voir recette p. 129) avec la Maïzena et 800 ml du lait de cuisson. Servez le haddock, nappez-le de sauce et garnissez de tagliatelles vertes. Parsemez de persil ciselé.

Remarque :
Ne salez surtout pas.

On recommande tous les poissons sans exception pour la qualité de leurs matières grasses.

Loup aux herbes et aux épices

Pour 4 personnes
1 loup de 1,5 kg
4 tomates
4 citrons (dont 1/2 pressé)
1 cuillère à café de coriandre en grains
1/2 botte d'estragon
1/2 botte de cerfeuil
1 cuillère à café de gingembre en poudre
2 cuillères à soupe d'huile d'olive
Sel et poivre

Préchauffez le four à 180° (Th. 6). Tapissez un plat allant au four de rondelles de citron.
Déposez le poisson dessus. Remplissez le ventre du loup avec la coriandre, le cerfeuil, l'estragon ciselés et la moitié du gingembre. Arrosez le poisson avec le jus de 1/2 citron. Saupoudrez du reste de gingembre. Disposez les tomates en rondelles sur le poisson. Arrosez d'huile d'olive. Salez et poivrez.
Faites cuire au four environ 20 mn.

Ce véritable cocktail d'épices donne un parfum original. Le faible taux de lipides en fait un plat léger.

Maquereaux aux pommes

Pour 4 personnes
4 maquereaux
1 kg de pommes (canada ou reinette)
Cannelle
Sel et poivre

Épluchez et coupez les pommes en morceaux. Faites-les cuire en compote pendant 20 mn avec une pincée de cannelle. Préchauffez le four à 180° (Th. 6). Salez et poivrez les maquereaux. Disposez-les dans un plat à gratin légèrement huilé. Recouvrez les poissons de compote. Couvrez le plat avec une feuille de papier aluminium. Enfournez environ 20 mn.

Le maquereau est un poisson gras, aux graisses insaturées protectrices.

Maquereaux grillés

Pour 4 personnes
2 gros maquereaux frais
Fleur de sel
1 cuillère à soupe d'huile d'olive

Faites lever les filets de maquereaux par votre poissonnier. Saupoudrez les poissons de fleur de sel. Cuisez au barbecue 5 mn environ.

Remarques :
Procédez de la même façon avec des sardines fraîches.
Si vous n'avez pas de barbecue, faites cuire les filets en papillotes – 5 mn au four à 220° (Th. 6). Arrosez d'huile d'olive.

Idée d'accompagnement : salade verte et pommes de terre au barbecue.

Le maquereau est un poisson gras. Ses graisses sont protectrices pour les artères.

Médaillons de lotte au curry et aux brocolis

Pour 4 personnes
800 g de médaillons de lotte
2 kg de brocolis
25 cl de crème légère à 15 % de matières grasses
1 cuillère à café de Maïzena
2 cuillères à café de curry doux
Sel

Dans une cocotte, versez la crème, la Maïzena et le curry. Salez. Déposez les médaillons de lotte. Faites cuire à feu doux à couvert 5 à 10 mn. Lavez les brocolis, puis éliminez les pieds. Faites-les cuire 8 mn dans de l'eau bouillante salée puis égouttez-les délicatement. Servez le poisson sur un plat accompagné des brocolis.

Maigres ou gras, on conseille les poissons pour la qualité de leurs matières grasses, protectrices pour les artères. L'association avec des brocolis est judicieuse pour les fibres alimentaires, les vitamines et les minéraux.

Mulet à l'oseille

Pour 3 personnes
1 mulet noir d'au moins 1,5 kg
25 cl de crème liquide allégée à 15 % de matières grasses
200 g d'oseille surgelée hachée
Sel

Préchauffez le four à 180° (Th. 6). Faites cuire le poisson dans une poissonnière 10 mn ou en papillote 20 mn à 180°. Faites fondre l'oseille dans une petite casserole. Ajoutez la crème. Faites chauffer sur feu doux quelques minutes. Salez. Servez le poisson avec des pommes de terre à l'eau et la sauce à part.

Remarque :
Le mulet cuit très rapidement. Surveillez la cuisson – trop cuit, il devient sec.

Le mulet est un poisson à chair blanche maigre. La crème fraîche est allégée et apporte peu de lipides saturés.

Papillotes de rouget à la tapenade

Pour 4 personnes
16 filets de rouget
8 cuillères à café de tapenade verte ou noire

Préchauffez le four à 180° (Th. 6). Déposez les filets 2 par 2 dans du papier aluminium et ajoutez 1 cuillère à café de tapenade dans chaque papillote. Fermez les papillotes et déposez-les sur la plaque du four chaud. Faites cuire 5 à 7 mn.

Idée d'accompagnement : pommes de terre à la vapeur et/ou riz sauvage.

La tapenade apporte les mêmes graisses que l'huile d'olive : insaturées et protectrices.

Rougets au safran

Pour 4 personnes
8 petits rougets vidés et écaillés
300 g de tomates ou 1 boîte de tomates concassées (400 g)
2 oignons
2 échalotes
1 gousse d'ail
8 rondelles de citron
150 ml de vin blanc
1 bouquet garni
2 cuillères à soupe d'huile d'olive
4 pincées de filaments de safran
Sel et poivre

Préchauffez le four à 180° (Th. 6). Mettez les rougets dans un plat à gratin. Arrosez-les de 1 cuillère à soupe d'huile d'olive. Pelez, épépinez et concassez les tomates (si vous utilisez des tomates fraîches). Épluchez et hachez les oignons, les échalotes et l'ail. Faites-les revenir dans une poêle anti-adhésive avec 1 cuillère à soupe d'huile d'olive. Versez le vin blanc, portez à ébullition puis réduisez 2 mn. Incorporez la pulpe des tomates, 3 pincées de safran. Salez et poivrez. Ajoutez le bouquet garni. Faites cuire 25 mn à couvert. Découvrez 10 mn avant la fin de la cuisson. Versez la sauce sur les rougets. Posez les rondelles de citron. Faites cuire 6 mn. Avant de servir, parfumez avec le reste de safran. Servez chaud ou froid.

Le rouget est un poisson maigre.

Rascasse à la moutarde de Meaux

Pour 3 personnes
1 belle rascasse
2 cuillères à soupe de crème fraîche à 15 % de matières grasses
1 cuillère à soupe de moutarde de Meaux
1 cuillère à café de Maïzena

Préchauffez le four à 180° (Th. 6). Faites cuire le poisson en papillote environ 15 mn selon la grosseur. Dans une casserole, mélangez la Maïzena, la crème et la moutarde. Faites chauffer quelques minutes à feu doux. Servez la rascasse avec du riz basmati et la sauce à part.

Vous pouvez utiliser d'autres poissons à chair blanche pour cette recette.

Sardines marinées

Pour 4 personnes
16 filets de sardine (frais)
200 g de mesclun
4 cuillères à soupe d'huile d'olive
2 citrons
3 feuilles de laurier
2 branches de thym
Persil plat

Disposez les filets de sardine dans un plat. Pressez un citron. Versez le jus sur les poissons avec 2 cuillères à soupe d'huile d'olive. Ajoutez le thym et le laurier. Laissez mariner 5 à 10 mn au réfrigérateur selon la taille des filets. Assaisonnez le mesclun avec le reste d'huile d'olive et le jus du deuxième citron. Servez accompagné de la salade de mesclun.

Le mesclun est un délicieux mélange de salades.

Soles au cidre

Pour 4 personnes
4 filets de sole
1/2 litre de cidre brut
4 pommes (canada ou reinette)
50 g de margarine aux stérols végétaux
Sel et poivre

Préchauffez le four à 180° (Th. 6). Épluchez et coupez les pommes en rondelles. Disposez les filets de sole au fond d'un plat graissé. Salez et poivrez. Recouvrez le poisson avec les pommes, puis versez le cidre. Enfournez 15 mn. Retirez les poissons et les pommes. Gardez au chaud. Dans une casserole, faites réduire le jus de cuisson aux 3/4 et ajoutez la margarine pour lier. Déposez les filets de soles sur un plat avec les pommes en rondelles autour. Servez la sauce à part.

Ce mélange salé/sucré original met en valeur la sole, poisson très fin et maigre.
Les margarines aux stérols végétaux remplacent volontiers le beurre. Certaines se font cuire.

Filets de sole au basilic

Pour 4 personnes
500 g de filets de sole
1/2 botte de basilic
2 cuillères à soupe de jus de citron
4 cuillères à soupe d'huile d'olive
Sel et poivre

Faites cuire les filets 3 mn à la vapeur. Laissez-les refroidir. Effeuillez, lavez, séchez et ciselez finement le basilic. Mélangez le jus de citron et l'huile d'olive. Salez, poivrez et ajoutez le basilic ciselé. Assaisonnez le poisson avec cette sauce. Mettez 30 mn au réfrigérateur. Déposez les filets de sole sur une salade de mesclun assaisonnée de la même façon.

Pour un plat principal, augmentez les quantités de poisson.

PLATS COMPLETS

Salade de boulghour et poulet au cumin

Pour 4 personnes
400 g de boulghour
1 boîte de pois chiches au naturel
2 blancs de poulet (environ 500 g)
3 oignons nouveaux
3 courgettes
2 citrons
4 cuillères à soupe d'huile d'olive
1 cuillère à soupe de cumin en poudre
1 botte de coriandre
Sel et poivre

Faites cuire le boulghour. Lavez les courgettes et coupez-les en cubes. Faites-les cuire à la vapeur 10 mn. Coupez les blancs de poulet en morceaux. Faites-les cuire 3 à 4 mn dans de l'eau bouillante salée. Égouttez-les. Assaisonnez-les de 1 cuillère à soupe d'huile d'olive, de sel, de poivre et d'un peu de cumin. Faites de même pour les cubes de courgettes. Prélevez le zeste de 1/2 citron. Épluchez et hachez les oignons. Dans un saladier, mélangez le boulghour, les pois chiches égouttés, les oignons, l'huile restante, le zeste et le jus du citron, le cumin et la coriandre ciselée. Ajoutez les courgettes et le poulet. Rectifiez l'assaisonnement.

Cette préparation est un plat complet, puisqu'il est composé de légumes verts et d'un féculent. Ce mélange vous apportera une bonne quantité de fibres alimentaires et de nombreuses vitamines.

Terrine de carottes

Pour 6 personnes
1 kg de purée de carottes surgelée
6 œufs
1/2 cuillère à café de 4 épices
Sel et poivre

Préchauffez le four à 150-170° (Th. 5-6). Faites décongeler la purée dans une poêle ou une casserole. Dans un saladier, battez les œufs en omelette. Ajoutez le sel, le poivre, les 4 épices et la purée décongelée. Mélangez bien le tout. Rectifiez l'assaisonnement si nécessaire. Huilez un moule à cake et versez-y la préparation. Enfournez 40 mn.
Sortez la terrine du four. Laissez-la refroidir. Vous pouvez la servir tiède ou froide, en entrée ou en plat principal, accompagnée d'une salade.

Remarque :
On peut préférer des légumes frais cuits en cocotte avec un peu d'huile. Dans ce cas, prévoyez 2 kg de carottes.

La quantité d'œuf est de 1 par personne. Les recommandations actuelles préconisent au maximum 2 à 3 œufs par semaine, y compris ceux inclus dans les préparations.

Gratin dauphinois

Pour 4/5 personnes
1 kg de pommes de terre nouvelles
200 ml de lait 1/2-écrémé
200 ml de crème liquide à 15 % de matières grasses
2 pincées de muscade
Sel, poivre

Faites préchauffer le four à 170° (Th. 5-6).
Épluchez et découpez finement les pommes de terre. Déposez-les dans une casserole avec le lait et la crème, du sel, du poivre et 2 pincées de muscade. Faites cuire 15 mn à feu moyen. Versez le contenu de la casserole dans un plat à gratin.
Enfournez 40 mn à 170° (Th. 5-6). Éteignez le four et laissez le plat encore 10 mn dans le four.

La crème légère à 15 % de matières grasses contient 2 fois moins de lipides saturés que la crème fraîche classique.

Gratin de brocolis aux noisettes

Pour 4 personnes
2 kg de brocolis
1/2 litre de béchamel légère (voir recette p. 129)
100 g de noisettes
Muscade
Sel et poivre

Préchauffez le four à 180° (Th. 6). Déposez les noisettes entre 2 torchons et écrasez-les avec un rouleau à pâtisserie. Enlevez les queues des brocolis. Faites-les cuire à l'eau bouillante 8 mn. Égouttez-les. Préparez la béchamel.
Déposez les brocolis dans un plat à gratin. Versez la béchamel dessus et saupoudrez de noisettes concassées. Salez, poivrez et ajoutez la muscade. Enfournez 15 mn. Faites gratiner 2 mn.

Les noisettes sont riches en matières grasses insaturées et en vitamine E antioxydante.

Purée de pommes de terre à l'huile d'olive

Pour 4/6 personnes
1,2 kg de pommes de terre (bintje, mona lisa ou agatha)
2 dl de lait 1/2-écrémé
3 cuillères à soupe d'huile d'olive très fruitée
1/2 cuillère à café de muscade
Sel, poivre

Lavez les pommes de terre. Faites-les cuire dans de l'eau salée. Égouttez-les et épluchez-les.
Faites chauffer le lait quelques minutes. Passez au moulin à légumes les pommes de terre en ajoutant progressivement le lait chaud. Mélangez. Salez et poivrez. Ajoutez l'huile et 1/2 cuillère à café de muscade. Mélangez et servez.

Utilisez le micro-ondes pour réchauffer la purée.

Purée de céleri

Pour 4 personnes
1 céleri-rave
300 g de pommes de terre (bintje, mona lisa ou agatha)
1 oignon
1 cuillère à soupe de crème à 15 % de matières grasses
1 cuillère à café de cumin
Sel, poivre

Épluchez l'oignon. Épluchez le céleri et coupez-le en morceaux. Faites-le cuire dans de l'eau bouillante salée avec l'oignon.
Épluchez les pommes de terre. Faites-les cuire à l'eau.
Moulinez ensemble le céleri, les pommes de terre et l'oignon.
Salez. Poivrez. Ajoutez la crème et le cumin.

Remarque :
Cette purée accompagne volontiers une viande blanche ou rouge.

La crème légère à 15 % de matières grasses contient 2 fois moins de lipides saturés que la crème fraîche classique.

Terrine de légumes aux olives

Pour 4/6 personnes
250 g d'aubergines
250 g de courgettes
250 g de tomates
200 g d'oignons nouveaux
2 petits poivrons rouges
6 œufs
2 cuillères à soupe de parmesan râpé
1 gousse d'ail
3 cuillères à soupe de basilic ciselé
2 cuillères à soupe d'huile d'olive
1 cuillère à café de thym émietté
1 poignée d'olives noires et vertes
Sel et poivre

Préchauffez le four à 150° (Th. 5). Pelez les oignons, lavez-les et coupez-les en fines rondelles. Lavez tous les autres légumes. Ébouillantez les tomates 4 s, puis pelez-les et coupez-les en petits morceaux. Coupez les aubergines, les poivrons et les courgettes en petits morceaux. Dans une sauteuse anti-adhésive, disposez tous les légumes, la gousse d'ail épluchée, et ajoutez l'huile, du sel, du poivre et le thym. Couvrez et laissez mijoter à feu doux environ 30 mn. Tournez de temps en temps. Lorsque les légumes sont cuits, ajoutez le basilic, puis les œufs battus en omelette et le parmesan. Mélangez. Versez la préparation dans un moule à cake. Enfournez et laissez cuire environ 45 mn. Laissez refroidir au moins 3 h avant de servir. Accompagnez cette terrine d'une salade verte et de quelques olives.

Un cocktail de légumes savoureux qui fait de cette terrine un plat complet. Tous les légumes sont recommandés.

Lasagnes aux épinards

Pour 4/6 personnes
1 kg d'épinards hachés surgelés
200 g de lasagnes crues
1/2 l de béchamel légère (voir recette p. 129)
150 g de parmesan râpé
1 cuillère à soupe d'huile
Sel et poivre

Préchauffez le four à 180° (Th. 6). Faites la béchamel et prélevez-en 2 cuillères à soupe.
Faites cuire les épinards comme indiqué sur l'emballage. Assurez-vous qu'ils soient bien égouttés. Incorporez la béchamel aux épinards. Salez et poivrez.
Remplissez une grande casserole d'eau. Portez à ébullition. Ajoutez du sel et l'huile. Faites cuire les pâtes *al dente*. Égouttez-les et rincez-les sous l'eau froide. Étalez les lasagnes séparées les unes des autres sur un grand plat. Tapissez un plat à gratin légèrement huilé des lasagnes. Ajoutez les épinards, parsemez de parmesan. Alternez lasagnes et épinards jusqu'à épuisement des ingrédients. Terminez par des lasagnes. Recouvrez du reste de béchamel et saupoudrez de parmesan. Enfournez 15 à 20 mn. Faites gratinez 2 mn.

Le parmesan est le fromage le plus riche en calcium. Il apporte également des matières grasses saturées. Aux autres repas, privilégiez un laitage allégé nature ou aux fruits.

Lasagnes de tomates aux aubergines

Pour 4 personnes
1 sachet d'aubergines grillées surgelées
4 tomates
3 boules de mozzarella
2 cuillères à soupe d'huile d'olive
Thym ou romarin
Sel et poivre

Préchauffez le four à 180° (Th. 6). Faites décongeler les aubergines. Assaisonnez-les de 1 cuillère à soupe d'huile d'olive. Parsemez de thym ou de romarin émietté. Salez et poivrez. Coupez chaque tomate en 3. Arrosez-les de 1 cuillère à soupe d'huile d'olive et parsemez de thym ou de romarin. Coupez chaque boule de mozzarella en 4. Assaisonnez-les de sel, poivre et thym ou romarin. Tapissez la plaque du four de papier aluminium. Posez 6 tranches d'aubergine, puis sur chacune 1 tranche de tomate, 1 tranche de mozzarella et ainsi de suite. Faites tenir avec un pic en bois. Placez la plaque dans le four et faites cuire 20 mn. Servez chaud.

La quantité de matières grasses saturées n'est pas négligeable. Faites ce plat occasionnellement.

Tagliatelles aux anchois

Pour 4/6 personnes
500 g de tagliatelles
200 g de filets d'anchois au sel
6 petits oignons blancs
4 cuillères à soupe d'huile d'olive
Sel et poivre

Plongez les pâtes dans une grande quantité d'eau bouillante salée et laissez cuire. Pendant ce temps, rincez les anchois sous l'eau froide. Coupez-les en morceaux. Émincez les oignons dans une poêle. Ajoutez l'huile et faites cuire environ 10 mn. Égouttez les tagliatelles et déposez-les dans un plat. Versez aussitôt le contenu de la poêle et ajoutez les anchois. Salez et poivrez. Mélangez et servez.

Les matières grasses des anchois sont insaturées et protectrices pour les artères.

Tagliatelles au saumon fumé

Pour 4 personnes
500 g de tagliatelles vertes
250 g de saumon fumé
150 g de crème à 15 % de matières grasses
3 branches d'aneth
1/2 citron pressé
Sel et poivre

Faites cuire les pâtes. Dans une casserole, mélangez le jus de citron, la crème et l'aneth ciselé.
Faites chauffer à feu doux. Découpez le saumon en petits morceaux. Égouttez les pâtes. Déposez-les dans un grand plat légèrement creux. Ajoutez la sauce, le saumon. Salez et poivrez. Mélangez. Servez aussitôt.

Le saumon fumé contient des matières grasses insaturées protectrices. N'hésitez pas à consommer les poissons 2 à 3 fois par semaine.

Salade de pâtes colorées

Pour 4 personnes
500 g de pâtes colorées
300 g de tomates cerises
Une dizaine d'olives noires
200 g de feta
2 citrons pressés
3 cuillères à soupe d'huile d'olive
1 botte de basilic
Sel et poivre

Cuisez les pâtes al dente et rincez-les à l'eau très froide. Dans un saladier, mélangez le jus de citron et l'huile d'olive. Salez et poivrez. Versez alors les pâtes et remuez. Ajoutez le basilic ciselé. Couvrez avec un film plastique et placez au réfrigérateur au moins 1 h. Avant de servir, ajoutez les tomates cerises coupées en 2, les olives et la feta, coupée en dés. Mélangez.

Remarque :
Cette salade trouvera volontiers sa place dans un buffet.

Cette salade colorée associe légumes verts et féculents. Le fromage est en petite quantité (35 g par personne). Afin d'éviter le cumul des matières grasses saturées, il est préférable de consommer un laitage écrémé au dessert.

Risotto aux herbes et au citron

Pour 4 personnes
400 g de riz rond arborio
1,5 l de bouillon de volaille
1 gros citron
2 échalotes
40 g de parmesan
2 cuillères à soupe d'huile d'olive
2 brins de romarin
2 brins de persil plat
4 feuilles de menthe
Sel et poivre

Faites chauffer le bouillon de volaille dans une casserole et maintenez-le à frémissement léger. Effeuillez les herbes et hachez-les finement. Râpez le zeste du citron. Émincez les échalotes. Faites chauffer 1 cuillère à soupe d'huile dans une casserole. Faites revenir les échalotes 3 mn. Ajoutez le riz et remuez environ 2 mn. Versez 1 louche de bouillon et remuez jusqu'à absorption complète. Répétez l'opération, louche par louche, jusqu'à ce que le riz soit cuit et ait absorbé tout le bouillon. Retirez la casserole du feu et ajoutez l'huile restante, le zeste de citron, les herbes et le parmesan. Salez et poivrez. Servez dans des assiettes creuses.

Si vous ne trouvez pas de riz arborio*, choisissez du riz rond.*

Sauce béchamel légère

Pour 4 personnes
1/2 l de lait demi-écrémé
3 cuillères à soupe de Maïzena
2 pincées de muscade
Sel, poivre

Dans une casserole, délayez la Maïzena avec le lait froid. Salez et poivrez. Ajoutez 2 pincées de muscade.
Faites chauffer sur feu moyen en tournant constamment avec une spatule en bois jusqu'à épaississement. Rectifiez l'assaisonnement.

Remarque :
Vous pouvez remplacer la muscade par d'autres épices.

Le plaisir d'une sauce, sans les matières grasses.

Desserts

Salade aux 3 pêches

Pour 4 personnes
400 g de pêches jaunes
400 g de pêches blanches
400 g de pêches de vigne
2 sachets de sucre vanillé arôme naturel
1 pincée de cannelle
1 pincée de gingembre

Épluchez et coupez les pêches en tranches. Saupoudrez de sucre vanillé, de gingembre et de cannelle. Mélangez. Couvrez et placez au réfrigérateur au moins 1 h. Servez frais.

Remarque :
Vous pouvez ajouter 1 cuillère à soupe de Grand Marnier.

Cette salade est riche en fibres et en vitamines. Un dessert simple et léger.

Salade 3 couleurs

Pour 6/8 personnes
1 melon d'Espagne
1 melon de Cavaillon
1 pastèque
1 orange pressée
1 verre de muscat
Quelques feuilles de menthe

Coupez les melons et la pastèque en deux. Ôtez les graines. Coupez-les en morceaux.
Mettez-les dans un saladier avec le vin et le jus d'orange. Couvrez et tenez au frais.
Au moment de servir, versez le contenu du saladier dans un plat. Décorez avec quelques feuilles de menthe.

Remarque :
Cette salade peut être servie en entrée.

Le bêtacarotène, présent en quantité importante dans le melon, participe à la protection des artères. Il fait partie des antioxydants.

Salade d'oranges au miel et à la cannelle

Pour 4 personnes
5 belles oranges
1 cuillère à café d'eau de fleur d'oranger
1 cuillère à soupe de miel d'acacia
2 pincées de cannelle
1 cuillère à soupe d'amandes effilées grillées (10 g)

Pelez les oranges à vif puis ôtez les quartiers en enlevant la peau blanche qui les sépare. Dans un bol, mélangez l'eau de fleur d'oranger, le miel et la cannelle.
Déposez les oranges sur un plat. Versez le mélange précédent. Placez au réfrigérateur 1 h. Parsemez d'amandes grillées juste avant de servir.

Ce dessert vous apporte la quantité de vitamine C pour une journée.

Salade d'ananas au miel et à l'armagnac

Pour 3/4 personnes
1 ananas moyen
1 cuillère à soupe d'armagnac
2 cuillères à café de miel d'acacia

Coupez l'ananas en 4. Enlevez la partie centrale et la peau. Coupez la chair de chaque quartier en morceaux. Déposez ceux-ci dans un saladier. Ajoutez le miel et l'armagnac. Mélangez, couvrez et réfrigérez.

Servez ce dessert frais mais pas glacé.

Poires au vin

Pour 3/4 personnes
4 poires mûres
1/2 citron
1/2 bouteille de vin rouge (côtes-du-Rhône par exemple)
3 cuillères à soupe de sucre (50 g)
1 gousse de vanille
1/2 cuillère à café de cannelle
1/2 cuillère à café de gingembre
1 clou de girofle

Coupez les poires en 2. Ôtez les cœurs, les pépins et pelez-les. Frottez-les aussitôt avec le demi-citron afin qu'elles ne noircissent pas.
Dans une casserole, versez le vin, ajoutez la gousse de vanille fendue en deux, les épices et les poires. Laissez cuire 10 mn à feu moyen. Retournez les poires à mi-cuisson. Sortez-les et laissez réduire le jus de cuisson à feu vif environ 15 mn. Nappez les poires avec ce jus et laissez refroidir. Couvrez et placez au réfrigérateur.

Tous les fruits sont conseillés en cas d'hypercholestérolémie.

Bavarois aux framboises

Pour 4 personnes
500 g de fromage blanc à 20 % de matières grasses
6 feuilles de gélatine
125 g de framboises
600 ml de coulis de framboises
60 g de sucre en poudre (ou 4 cuillères à soupe rases d'aspartam)
1 citron
2 œufs

Faites ramollir les feuilles de gélatine dans de l'eau très froide. Dans une terrine, mélangez le fromage blanc avec 500 ml de coulis et le sucre.
Dans une casserole, pressez le citron et ajoutez la gélatine préalablement égouttée entre vos mains. Portez à ébullition 1 mn puis versez le contenu de la casserole dans le fromage blanc. Mélangez vigoureusement. Montez les blancs d'œuf en neige ferme. Ajoutez-les délicatement à la préparation précédente. Versez la préparation dans un moule à cake. Placez au frigérateur au moins 4 h.
Démoulez le bavarois en plongeant le fond du moule pendant quelques secondes dans de l'eau chaude. Retournez-le sur un plat de service. Décorez avec les framboises et servez avec le coulis restant.

Remarque :
Vous trouverez des coulis tout prêts au rayon des surgelés ou en conserve.

Le blanc d'œuf ne contient ni cholestérol ni matières grasses.

Cake

Pour 6/8 personnes
300 g de farine
125 g de margarine aux stérols végétaux à cuire
100 g de sucre
4 œufs
100 g de raisins secs de Smyrne
1 sachet de levure
2 cuillères à soupe de rhum

Préchauffez le four à 180° (Th. 6). Faites tremper les raisins dans le rhum. Travaillez avec une spatule en bois la margarine avec le sucre. Ajoutez les œufs un par un en mélangeant entre chaque adjonction. Ajoutez la farine progressivement et la levure. Incorporez les raisins secs et le rhum. Mélangez le tout. Versez la préparation dans un moule à cake huilé. Faites cuire 40 mn.

Il existe deux types de margarines aux stérols végétaux : une version pour tartiner et une autre pour la cuisson. Elles remplacent le beurre et les autres margarines.

Cake exotique

Pour 6/8 personnes
250 g de farine
125 g de margarine aux stérols végétaux (à cuire)
100 gr de sucre
3 œufs
1/2 sachet de levure
150 g d'abricots secs
110 g de raisins de Smyrne
110 g de raisins de Corinthe
1 banane
3 cuillères à soupe de noix de coco râpée
10 cl de rhum

Faites préchauffer le four à 180° (Th. 6). Faites tremper les raisins et les abricots secs, coupés en 4, dans de l'eau tiède additionnée de 5 cl de rhum.
Dans un grand saladier, travaillez à la spatule la margarine et le sucre en pommade. Ajoutez les œufs un à un puis versez la farine tamisée et la levure en une seule fois. Mélangez jusqu'à obtention d'une pâte homogène.
Incorporez les fruits secs bien égouttés, la banane coupée en rondelles et le reste du rhum. Remuez. Huilez un moule à cake. Versez la pâte. Saupoudrez de noix de coco. Enfournez environ 45 mn. Si nécessaire, couvrez le cake en cours de cuisson d'une feuille d'aluminium pour éviter que le dessus brûle. Laissez le cake refroidir.

Ce dessert est très riche en sucre et en graisses. Si vous surveillez votre ligne, consommez-le occasionnellement.

Clafoutis aux cerises

Pour 4 personnes
600 g de cerises
100 g de farine
70 g de sucre
4 œufs
1/4 l de lait demi-écrémé
1 sachet de sucre vanillé

Préchauffez le four à 170° (Th. 5/6). Dans un saladier, battez les œufs en omelette avec le sucre et le sucre vanillé. Ajoutez la farine. Mélangez. Puis versez le lait tout en remuant. Dans un plat légèrement graissé avec un peu d'huile, déposez les cerises dénoyautées. Versez la préparation. Faites cuire environ 35 mn. Sortez le clafoutis du four et laissez-le tiédir.

Le clafoutis ne se démode pas ! Facile à réaliser, il apporte peu de matières grasses (ni beurre, ni crème fraîche).

Crumble aux fruits rouges

Pour 4 personnes
750 g de fruits rouges (frais ou surgelés)
225 g de farine
100 g de margarine aux stérols végétaux
100 g de sucre + 2 cuillères à soupe de sucre

Préchauffez le four à 180° (Th. 6). Faites décongeler les fruits. Déposez-les dans un plat à gratin. Saupoudrez de 2 cuillères à soupe de sucre.
Dans un saladier, malaxez avec les mains la farine, le sucre et la margarine. Répartissez le mélange sableux obtenu sur les fruits. Enfournez environ 20 mn.

La margarine remplace le beurre, ce qui diminue par 2 les lipides saturés et double les lipides insaturés protecteurs pour les artères. La margarine peut être au tournesol, aux oméga 3 ou aux stérols végétaux.

Crumble aux pommes

Pour 3 personnes
1 kg de pommes (canada ou reinettes)
100 g de farine
50 g de sucre
50 g de margarine aux stérols végétaux
Cannelle

Préchauffez le four à 180° (Th. 6). Découpez les pommes épluchées en petits morceaux. Dans un saladier, malaxez avec les mains la margarine, la farine et le sucre. Recouvrez les pommes de ce mélange. Faites cuire à 180° (Th. 6) 40 mn.

Ce dessert est délicieux tiède, avec de la crème allégée ou du fromage blanc à 0 ou 20 % de matières grasses.

Far breton

Pour 4 personnes
600 ml de lait 1/2-écrémé
170 g de farine
50 g de sucre
3 œufs
20 pruneaux dénoyautés
1 gousse de vanille
1 cuillère à soupe de miel

Faites préchauffer le four à 150° (Th. 5). Huilez un plat à gratin. Battez les œufs en omelette. Ajoutez le sucre, puis le miel, 125 g de farine et le lait. Fendez en deux la gousse de vanille à l'aide d'un petit couteau. Grattez l'intérieur de la gousse afin de récupérer toutes les graines. Ajoutez-les dans la pâte et mélangez. Saupoudrez les pruneaux du reste de farine et tapotez-les pour en retirer l'excédent. Versez la préparation dans le moule et ajoutez les pruneaux. Enfournez 1 h environ. Laissez refroidir le far à température ambiante avant de le servir.

Remarque :
Il est possible de réaliser cette recette en remplaçant les pruneaux par d'autres fruits : pommes, poires ou fruits secs.

Ce dessert breton traditionnel ne contient ni beurre ni crème fraîche, donc aucune graisse saturée !

Gâteau à l'orange et aux amandes

Pour 4 personnes
1 orange
120 g d'amandes en poudre
3 œufs
100 g de confiture d'oranges ou 80 g de sucre

Préchauffez le four à 150° (Th. 5). Dans une terrine, mélangez : le jus d'orange, les amandes, les jaunes d'œuf, le sucre ou la confiture. Ajoutez-y délicatement les blancs en neige. Versez le mélange dans un moule à cake huilé. Enfournez 20 à 25 mn.

Les amandes sont des fruits oléagineux. Leurs matières grasses insaturées contribuent à la protection des artères.

Gâteau aux noix

Pour 3 personnes
80 g de margarine aux stérols végétaux
3 œufs
60 g de sucre
1 cuillère à soupe de Maïzena
1 cuillère à soupe de lait demi-écrémé
1 pincée de cannelle
Le zeste de 1 citron
100 g de cerneaux de noix
70 g de chapelure
un peu de rhum

Mélangez la margarine fondue, les jaunes d'œuf et le sucre jusqu'à obtention d'une crème mousseuse. Ajoutez la Maïzena, le lait, la cannelle et le zeste de citron râpé. Puis, les noix hachées et la chapelure préalablement humectée de rhum. Montez les blancs en neige ferme. Ajoutez-les délicatement à la préparation. Faites cuire au bain-marie dans un moule environ 1 h.

Ce dessert contient des matières grasses insaturées très intéressantes contre le cholestérol et pour la protection des artères. Les fruits oléagineux et la margarine en font néanmoins un gâteau assez gras.

Gâteau aux pistaches et à la fleur d'oranger

Pour 6 personnes
100 g de pistaches décortiquées non salées
1 yaourt brassé au lait entier
100 g de sucre
180 g de farine
2 œufs
4 cuillères à soupe d'huile de tournesol
1 cuillère à soupe d'eau de fleur d'oranger
2 cuillères à café de levure

Faites préchauffer le four à 150° (Th. 5). Mixez les pistaches en petits éclats avec la fécule.
Huilez un moule à manqué de 22 cm de diamètre. Fouettez les œufs avec le sucre. Ajoutez le yaourt, l'huile, l'eau de fleur d'oranger. Quand le mélange est homogène, ajoutez peu à peu la farine et la levure. Terminez par les pistaches en réservant 2 cuillères à soupe de pistaches pour saupoudrer la surface du gâteau. Versez dans le moule et faites cuire 40 mn. Vérifiez la cuisson en enfonçant la lame d'un couteau (elle doit ressortir propre). Laissez refroidir 5 mn avant de démouler.

Ce gâteau aux pistaches est original. Les matières grasses sont insaturés. L'huile de tournesol peut être remplacée par l'huile de pépins de raisin.

Tarte Tatin

Pour 6 personnes
Pâte brisée :
250 g de farine
125 g de margarine aux stérols végétaux
60 ml d'eau
Sel

1 kg de pommes (canada ou reinette)

Caramel :
25 morceaux de sucre
quelques gouttes de citron
3 cuillères à soupe d'eau

Faites préchauffer le four à 180° (Th. 6). Dans un saladier, mélangez rapidement du bout des doigts la farine, la margarine et une grosse pincée de sel. Ajoutez l'eau progressivement pour former une boule. Laissez reposer 20 mn la pâte au frais à couvert.
Dans une casserole, faites fondre le sucre à feu vif avec 3 cuillères à soupe d'eau et quelques gouttes de citron (ne pas remuer). Lorsque le sucre brunit légèrement, versez-le dans le moule à tarte.
Coupez les pommes épluchées en 8. Déposez les quartiers sur le caramel. Farinez le plan de travail. Étalez la pâte à l'aide d'un rouleau à pâtisserie. Recouvrez les pommes en insérant la pâte à l'intérieur du moule. Faites cuire environ 25 mn.

La margarine remplace le beurre, ce qui diminue par 2 les lipides saturés et double les lipides insaturés. La margarine peut être au tournesol, aux oméga 3 ou aux stérols végétaux.

Gâteau aux amandes et aux carottes

Pour 5 personnes
5 œufs
150 g de sucre
250 g d'amandes en poudre
250 g de carottes râpées
1/2 citron pressé
1 cuillère à soupe de Maïzena
3 cuillères à soupe de rhum
1 cuillère à café de cannelle en poudre

Préchauffez le four à 180° (Th. 6). Mélangez les jaunes d'œuf avec le sucre. Ajoutez les carottes, les amandes, la cannelle, le rhum, le jus de citron et la Maïzena.
Montez les blancs en neige, puis incorporez-les délicatement à la pâte. Huilez un moule à cake ou à savarin. Versez la préparation dans le moule. Faites cuire 40 mn.

L'association carottes-amandes-cannelle donne à ce gâteau un goût original. Quant aux amandes, elles apportent des lipides insaturés protecteurs pour les artères.

Crème caramel

Pour 6 personnes
1 l de lait demi-écrémé
6 œufs
60 g de sucre
1 gousse de vanille
25 morceaux de sucre
1 cuillère à soupe d'eau
Quelques gouttes de citron

Préchauffez le four à 150° (Th. 5). Faites chauffer le lait dans une casserole avec la gousse de vanille fendue dans le sens de la longueur.
Dans une terrine, battez les œufs en omelette avec le sucre. Ajoutez en remuant le lait tiédi. Enlevez la gousse de vanille.
Dans une casserole, préparez le caramel en faisant fondre le sucre à feu vif avec 1 cuillère à soupe d'eau et quelques gouttes de citron (ne pas remuer). Lorsque le sucre brunit légèrement, versez-le dans le moule.
Ajoutez alors le mélange précédent. Faites cuire la crème au bain-marie 1 h à 1 h 15. Sortez-la du four. Laissez-la refroidir. Couvrez et placez au réfrigérateur au moins 5 h. Démoulez la crème avant de servir.

Ce dessert apporte peu de lipides et 1 seul œuf par portion.

Crème des îles

Pour 4 personnes
500 ml de lait 1/2-écrémé
5 jaunes d'œuf
2 sachets de sucre vanillé
30 g de sucre
1 gousse de vanille

Préchauffez le four à 150° (Th. 5). Fendez la gousse de vanille dans le sens de la longueur. Grattez l'intérieur et déposez la gousse et les graines dans une casserole de lait. Faites chauffer 5 mn puis éteignez et laissez refroidir. Dans un saladier, mélangez les jaunes d'œuf avec le sucre vanillé. Ajoutez le lait tiédi tout en remuant. Enlevez la gousse de vanille. Versez la préparation dans des ramequins. Faites cuire au four au bain-marie environ 45 mn. Sortez les crèmes. Laissez-les refroidir. Couvrez et placez au réfrigérateur au moins 4 h.

Ce dessert léger peut remplacer le traditionnel yaourt. L'apport en jaune d'œuf doit être pris en compte. Dans cette recette, il y a un peu plus de 1 œuf par personne, sachant que les recommandations sont de l'ordre de 2 à 3 par semaine.

Crème persane au Grand Marnier

Pour 4 personnes
2 œufs
40 g de tapioca « express »
400 ml de lait demi-écrémé
40 g de sucre (ou 3 cuillères à soupe rases d'aspartam)
3 cuillères à soupe de Grand marnier

Versez en pluie le tapioca dans le lait frémissant. Faites cuire 3 à 5 mn tout en remuant. Éteignez le feu. Ajoutez le sucre*, le Grand Marnier et les jaunes d'œuf. Mélangez. Battez les blancs en neige ferme et jetez d'un seul coup le tapioca sur les blancs. Mélangez. Versez dans des coupelles. Couvrez et placez au réfrigérateur 1 à 2 h.

* Si vous utilisez de l'aspartam, ajoutez-le juste avant de monter les blancs en neige.

Cet entremet, à la saveur originale et ayant peu de matières grasses, vous apporte une quantité de calcium comparable à celle d'un yaourt et des glucides complexes qui favoriseront la satiété.

Crème anglaise

Pour 6 personnes
1 l de lait 1/2-écrémé
1 gousse de vanille
8 œufs
80 g de sucre (ou 6 cuillères à soupe rases d'aspartam)
1 cuillère à soupe de Maïzena

Faites chauffer le lait avec la gousse de vanille fendue en 2 dans le sens de la longueur.
Dans une casserole, délayez la Maïzena avec les jaunes d'œuf et le sucre*. Ajoutez le lait tiédi petit à petit. Faites épaissir sur feu moyen en tournant constamment avec une spatule en bois. La crème doit devenir onctueuse. Enlevez la gousse et versez-la dans un saladier. Laissez-la refroidir. Couvrez et placez au réfrigérateur au moins 4 h.

* Si vous utilisez de l'aspartam, ajoutez-le lorsque la crème est froide.

Ce dessert à base de jaunes d'œuf est riche en cholestérol. À consommer de temps en temps.

Mousse au citron

Pour 3/4 personnes
4 œufs
2 gros citrons
2 feuilles de gélatine (4 g)
60 g de sucre (ou 4 cuillères à soupe d'aspartam)

Déposez la gélatine dans un bol d'eau très froide. Dans une casserole, délayez les jaunes d'œuf et le sucre*. Ajoutez le zeste et le jus des citrons. Faites épaissir sur feu moyen en tournant constamment avec une spatule en bois jusqu'à épaississement – environ 5 mn. Enlevez la casserole du feu. Ajoutez la gélatine préalablement égouttée entre vos mains. Mélangez. Montez les blancs en neige ferme. Ajoutez-les délicatement à la préparation précédente. Versez le tout dans un saladier. Couvrez et placez au réfrigérateur au moins 3 h.

* Si vous utilisez de l'aspartam, ajoutez-le avant de monter les blancs en neige.

Les œufs ne sont pas interdits. Consommez-en au maximum 2 à 3 par semaine en comptant ceux de toutes les préparations qui en contiennent.

Mousse aux framboises

Pour 3/4 personnes
500 g de débris de framboises surgelées
3 blancs d'œuf
80 g de sucre (ou 4 cuillères à soupe bombées d'aspartam)
4 feuilles de gélatine (8 g)
1/2 citron pressé

Faites décongeler les fruits dans une passoire. Faites tremper la gélatine dans de l'eau froide. Déposez les fruits dans un saladier. Ajoutez le sucre (ou l'aspartam) et mélangez. Égouttez la gélatine entre vos mains. Déposez-la dans une petite casserole avec le jus de citron. Faites chauffer 2 mn en remuant. Versez le contenu de la casserole dans la purée de fruits et mélangez bien. Montez les blancs d'œuf en neige ferme. Ajoutez-les délicatement à la préparation. Couvrez et placez au réfrigérateur au moins 3 h.

Tous les fruits sont conseillés en cas d'hypercholestérolémie.

Mousse au gingembre

Pour 4 personnes
1 cuillère à soupe de gingembre confit
3 cuillères à soupe de rhum
4 feuilles de gélatine
4 blancs d'œuf

Crème anglaise :
1/2 l de lait
4 jaunes d'œuf
40 g de sucre
50 g de gingembre frais

Épluchez et râpez finement le gingembre frais. Préparez la crème anglaise comme indiqué dans la recette p. 149, en remplaçant la vanille par le gingembre râpé. Faites ramollir les feuilles de gélatine dans de l'eau très froide. Égouttez-les entre vos mains et faites-les fondre dans la crème anglaise encore chaude. Ajoutez le rhum. Mélangez bien le tout. Montez les blancs d'œuf en neige ferme. Incorporez-les délicatement à la préparation. Versez la mousse dans un saladier. Couvrez. Placez au réfrigérateur au moins 3 h. Servez frais et décorez de gingembre confit.

L'apport en jaune d'œuf doit être pris en compte. Dans cette recette, il y a un peu plus de 1 œuf par personne, sachant que les recommandations sont de l'ordre de 2 à 3 par semaine.

Riz au lait au gingembre

Pour 4 personnes
100 g de riz rond
800 ml de lait demi-crémé
30 g de sucre (ou 2 cuillères à soupe rases d'aspartam)
10 g de gingembre frais
Gingembre confit

Épluchez et râpez le gingembre frais. Faites chauffer le lait. Versez le riz dans le lait frémissant. Laissez cuire environ 30 à 35 mn en remuant de temps en temps. Le lait doit être absorbé et le riz cuit. Éteignez le feu. Ajoutez le sucre* et le gingembre râpé. Versez dans des coupelles ou dans un saladier. Laissez refroidir à température ambiante. Servez décoré de petits morceaux de gingembre confit.

* Ajoutez l'aspartam lorsque le riz est froid.

Cet entremets apporte peu de matières grasses, des glucides complexes qui favorisent la satiété et une quantité de calcium comparable à celle d'un yaourt.

Semoule au lait à la fleur d'oranger

Pour 4 personnes
80 g de semoule fine ou moyenne
600 ml de lait demi-écrémé
50 g de sucre (ou 4 cuillères à soupe bombées d'aspartam)
2 cuillères à café d'eau de fleur d'oranger

Versez en pluie la semoule dans le lait chaud. Faites cuire environ 5 mn tout en remuant. Éteignez le feu. Ajoutez le sucre* et la fleur d'oranger. Versez dans des coupelles ou dans un saladier. Laissez refroidir. Couvrez et placez au réfrigérateur 1 à 2 h.

* Ajoutez l'aspartam lorsque le riz est froid.

Remarque :
La semoule épaissit en refroidissant. Elle ne doit pas être trop épaisse une fois la cuisson terminée.

Cette association semoule-lait apporte autant de calcium qu'un yaourt et très peu de lipides saturés.

Rochers aux amandes

Pour 20/24 rochers
200 g d'amandes en poudre
100 g de sucre
2 œufs

Faites préchauffer le four à 150° (Th. 5). Mélangez les amandes et le sucre. Ajoutez les blancs d'œuf. Recouvrez la plaque du four de papier sulfurisé. À l'aide de deux petites cuillères, déposez des petits tas. Enfournez 10 à 15 mn.
Sortez les rochers du four. Déposez-les sur une assiette. Laissez refroidir.

Le blanc de l'œuf ne contient ni matières grasses ni cholestérol.

Compotée de mangues au miel et aux framboises

Pour 6 personnes
7 mangues pas trop grosses
2 barquettes de framboises
1 orange pressée
1/2 citron pressé
1 gousse de vanille
2 cuillères à soupe de miel

Coupez 6 mangues en 2. Pelez-les. Récupérez la chair en faisant des beaux quartiers. Grattez toute la chair restant autour du noyau. Fendez la gousse de vanille en deux. Grattez les graines. Passez au mixer la chair de la dernière mangue ainsi que celle récupérée autour des noyaux. Mélangez le coulis obtenu avec les graines de vanille. Réservez au réfrigérateur.
Faites chauffer le miel dans une poêle. Faites-y revenir les quartiers de mangue. Quand ils sont dorés, retirez-les. Ajoutez le jus de citron et le jus d'orange. Dressez les mangues dans un compotier. Arrosez-les du mélange mangue-citron/orange. Présentez les framboises fraîches et le coulis à côté. Servez tiède ou froid.

Un dessert sans matières grasses ! Tous les fruits sont conseillés en cas d'hypercholestérolémie.

Table des recettes

Entrées **29**

Salade de la mer 29
Salade de lentilles au miel 30
Salade mexicaine 31
Salade chinoise 32
Salade de courgettes à la coriandre 33
Salade de carottes au cumin 34
Salade de chou blanc et raisins secs 35
Salade de fenouil et de champignons 36
Salade de fonds d'artichaut 37
Salade de mâche à l'orange 38
Salade de pommes de terre aux citrons confits 39
Salade d'endives, pommes et noix 40
Salade d'épinards aux champignons 41
Salade des îles 42
Salade de haricots verts, pommes de terre et magrets fumés 43
Salade fraîcheur 44
Tomates, melon et chèvre en salade 45
Tomates et feta en salade 46
Betteraves aux pommes 47
Concombre au yaourt à la menthe 48
Fromage blanc à la ciboulette 49
Crottin chaud sur poire 50
Navets aux noisettes .. 51
Poivrons rouges et verts marinés 52
Rillettes de saumon ... 53
Haddock en salade 54
Haddock mariné au citron vert 55
Gaspacho 56

Soupe d'avocat 57
Soupe de carottes 58
Soupe de courgettes .. 59
Soupe de melon 60

Viandes 63

Carpaccio de bœuf 61
Aiguillettes de canard au gingembre et au miel 62
Filets de canard et leur purée de pois cassés 63
Colombo de poulet ... 64
Émincé de poulet à l'orange 65
Poulet à la bière 66
Poulet au curry 67
Poulet aux olives et aux citrons confits 68
Poulet basquaise 69
Poulet tandoori 70
Terrine de foie de volaille 71
Lapin aux pruneaux .. 72
Lapin à la moutarde et à la crème 73
Steak tartare 74
Steak tartare au whisky 74
Épaule d'agneau aux épices 75
Gigot au citron et à la coriandre 76
Pavés d'autruche à la purée d'endives 77
Pavés de biche aux airelles et aux marrons 78
Filet mignon de porc à l'orange 79
Osso buco 80
Veau aux olives 81
Émincé de veau à l'estragon 82

Poissons 83

Carpaccio de thon 83
Thon mi-cuit aux épices 84
Curry de thon 85
Terrine de saumon 86
Saumon en croûte de sel 87
Darnes de merlu à la tomate 88
Dorade à la sauce aux huîtres 89
Tartare de dorade aux pêches 90
Truite aux amandes ... 91
Moules marinières 92
Moules au curry 93
Fricassée de moules au cognac 94

Filets de lieu jaune au vin blanc 95
Haddock et tagliatelles vertes 96
Loup aux herbes et aux épices 97
Maquereaux aux pommes 98
Maquereaux grillés 99
Médaillons de lotte au curry et aux brocolis . 100
Mulet à l'oseille 101
Papillotes de rouget à la tapenade 102
Rougets au safran 103
Rascasse à la moutarde de Meaux .. 104
Sardines marinées 105
Soles au cidre 106
Filets de sole au basilic 107

Plats complets 108

Salade de boulghour et poulet au cumin 108
Courgettes à la ricotta 109
Cake aux olives 110
Chili con carne 111
Couscous kabyle aux légumes 112
Terrine de carottes 113
Gratin dauphinois 114
Gratin de brocolis aux noisettes 115
Purée de pommes de terre à l'huile d'olive . 116
Purée de céleri 117
Terrine de légumes aux olives 118
Lasagnes aux épinards 119
Lasagnes de tomates aux aubergines 120
Pâtes au citron et au basilic 121
Spaghettis à la tapenade noire 122
Tagliatelles aux anchois 123
Tagliatelles au saumon fumé 124
Salade de pâtes colorées 125
Risotto aux herbes et au citron 126
Riz sauvage aux légumes 127
Gratin de lentilles 128
Sauce béchamel légère 129

Desserts 130

Salade aux 3 pêches .. 130
Salade 3 couleurs 131

Salade d'oranges au miel et à la cannelle ... 132
Salade d'ananas au miel et à l'armagnac .. 133
Poires au vin 134
Bavarois aux framboises 135
Cake 136
Cake exotique 137
Clafoutis aux cerises .. 138
Crumble aux fruits rouges 139
Crumble aux pommes 139
Far breton 140
Gâteau à l'orange et aux amandes 141
Gâteau aux noix 142
Gâteau aux pistaches et à la fleur d'oranger 143
Tarte Tatin 144
Gâteau aux amandes et aux carottes 145
Crème caramel 146
Crème des îles 147
Crème persane au Grand Marnier 148
Crème anglaise 149
Mousse au citron 150
Mousse aux framboises 151
Mousse au gingembre 152
Riz au lait au gingembre 153
Semoule au lait à la fleur d'oranger 154
Rochers aux amandes 155
Compotée de mangues au miel et aux framboises 156

Composition réalisée par Nord Compo

IMPRIMÉ EN FRANCE PAR BRODARD ET TAUPIN
21984 - La Flèche (Sarthe), le 23-01-2004.

pour le compte des
Nouvelles Éditions Marabout
D.L. février 2004 - n° 41521
ISBN : 2-501-04138-0
4007522-01